W9-APC-050

TITAN +

Collection dirigée par
Stéphanie Durand

De la même auteure chez Québec Amérique

Jeunesse

Pétronille 2 – Pétillo!, Album, 2013.

Pétronille 1 – Barbouillette!, Album, 2011.

Cassiopée, coll. QA Compact, 2002.
- • **Livre préféré des jeunes de 12-17 ans au palmarès de Communication-Jeunesse 2003-2004**

Rouge poison, coll. Titan, 2000.

Les vélos n'ont pas d'états d'âme, coll. Titan, 1998.
- • **Mention spéciale du jury – Prix Alvine-Bélisle**
- • **Traduit en anglais**

L'Homme du Cheshire, coll. Bilbo, 1990.

Cassiopée – L'Été des baleines, coll. Titan, 1989.

Cassiopée – L'Été polonais, coll. Titan, 1988.
- • **Prix du Gouverneur général**
- • **Traduit en suédois, en espagnol, en catalan et en basque**

Adulte

La Troisième Lettre, coll. Tous Continents, 2007. Nouvelle édition, coll. QA Compact, 2011.

LA ROUTE
DE CHLIFA

Nouvelle édition dirigée par Marie-Josée Lacharité, éditrice

Mise en pages : Andréa Joseph [pagexpress@videotron.ca]
Conception graphique : Renaud Leclerc Latulippe
Photographie de la couverture : Photocase

Sources des textes cités
(p. 29-30) « Soir d'hiver », poème d'Émile Nelligan.
(p. 30-31) « Il n'y a pas d'amour heureux », poème de Louis Aragon.
(p. 147, 148 et 190) Extraits tirés du livre *Liban*, Paris, Hachette,
    coll. « Les guides bleus – Hachette », 1975. Les textes cités se
    trouvent aux pages 134, 135 et 156.
(p. 229) « Sur une montagne… », dans *Les Poésies*, Georges Schehadé,
    Paris, Gallimard, coll. « Poésie / Gallimard », p. 57.

Québec Amérique
329, rue de la Commune Ouest, 3e étage
Montréal (Québec) Canada H2Y 2E1
Téléphone : 514 499-3000, télécopieur : 514 499-3010

Nous reconnaissons l'aide financière du gouvernement du Canada par
l'entremise du Fonds du livre du Canada pour nos activités d'édition.

Nous remercions le Conseil des arts du Canada de son soutien. L'an
dernier, le Conseil a investi 157 millions de dollars pour mettre de l'art
dans la vie des Canadiennes et des Canadiens de tout le pays.

Nous tenons également à remercier la SODEC pour son appui finan-
cier. Gouvernement du Québec – Programme de crédit d'impôt pour
l'édition de livres – Gestion SODEC.

Canada Conseil des arts   Canada Council   SODEC
                          du Canada   for the Arts   Québec

**Catalogage avant publication de Bibliothèque et Archives nationales
du Québec et Bibliothèque et Archives Canada**

Marineau, Michèle
La route de Chlifa
2e éd.
(Titan + ; 16)
Publ. à l'origine dans la coll.: Collection Littérature jeunesse. c1992.
Pour les jeunes.
ISBN 978-2-7644-0794-3 (Version imprimée)
ISBN 978-2-7644-1010-3 (PDF)
ISBN 978-2-7644-1674-7 (ePub)
I. Titre. II. Collection: Titan + ; 16.
PS8576.A657R68 2010   jC843'.54   C2010-941079-3
PS9576.A657R68 2010

Dépôt légal, Bibliothèque et Archives nationales du Québec, 2010
Dépôt légal, Bibliothèque et Archives du Canada, 2010

Réimpression : novembre 2015

Tous droits de traduction, de reproduction et d'adaptation réservés

© Éditions Québec Amérique inc., 2010.
quebec-amerique.com

Imprimé au Québec

**MICHÈLE
MARINEAU**

LA ROUTE
DE CHLIFA

QuébecAmérique

NOTE DE L'AUTEURE

L'histoire comme les personnages de *La Route de Chlifa* sont fictifs. Cependant, le cadre dans lequel se situe cette histoire est réel. Aussi m'a-t-il fallu faire appel à un certain nombre d'« informateurs » pour bien rendre certains aspects historiques ou humains. Je tiens donc à remercier les personnes sans qui ce livre n'aurait pas vu le jour. D'abord Pierre Major, ainsi que les élèves, les professeurs et la direction de la polyvalente Émile-Legault (à Saint-Laurent), qui m'ont accueillie à plusieurs reprises et m'ont permis de comprendre un peu mieux la réalité des nouveaux arrivants au Québec. Ensuite et surtout mes jeunes amies libanaises : Maha et Hiba Kalache, Maha et Racha Katabi, qui ont eu la patience et la gentillesse de répondre à mes nombreuses questions et de me révéler de multiples aspects de leur pays meurtri. S'il restait, malgré tous mes efforts et toutes mes recherches, des erreurs ou des imprécisions dans le texte, je tiens à préciser que j'en assume la pleine et entière responsabilité. Je voudrais enfin remercier le Conseil des Arts du Canada, dont l'aide financière m'a permis de mener à terme ce projet.

7

Aux enfants des guerres

PROCHE-ORIENT

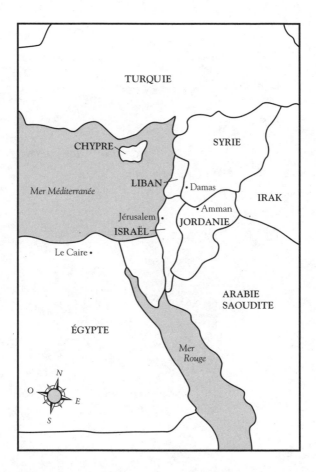

LIBAN

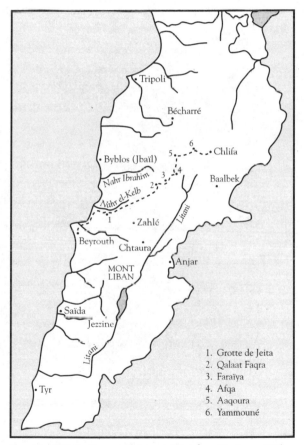

- 1. Grotte de Jeita
- 2. Qalaat Faqra
- 3. Faraïya
- 4. Afqa
- 5. Aaqoura
- 6. Yammouné

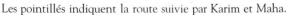

Les pointillés indiquent la route suivie par Karim et Maha.

PREMIÈRE PARTIE
CATALYSE

Montréal, janvier-février 1990

CATALYSE : n. f. *Chim.* Modification [...]
d'une réaction chimique sous l'effet
d'une substance (**V. Catalyseur**) qui ne
subit pas de modification elle-même.

Petit Robert 1

C'est le 8 janvier que Karim a fait irruption dans notre vie. Le 8 janvier que tout
s'est mis en branle.

À vrai dire, personne n'avait remarqué le
nouveau avant que Nancy mette le pied dans
la classe et s'exclame, avec sa discrétion
habituelle :

« Wow ! C'est-tu notre cadeau de Noël,
ça ? »

Tous les regards ont convergé vers « ça »,
qui était un gars assis dans la dernière rangée,
presque au fond de la classe. Puis, dans un
silence inhabituel et sous vingt-huit paires
d'yeux particulièrement attentifs, Nancy
s'est lancée à l'assaut du nouveau.

« Comment tu t'appelles ?

— Karim.

— C'est un nom arabe, ça ?

— Oui.

— T'es arabe ?

— Oui.

— Tu viens d'où ?

— Du Liban.

— T'es pas trop trop jasant, hein ? »

Nancy a attendu une réponse qui n'est pas venue. Puis, comme elle s'apprêtait à poser une autre question, la voix de Robert s'est fait entendre. Robert, c'est le prof de français, qui venait d'entrer sans qu'on s'en rende compte.

« Évidemment, tout le monde ne peut pas être aussi jasant que Nancy Chartrand. Pas vrai, Nancy ? »

Celle-ci a haussé les épaules d'un air désinvolte.

« C'est toi qui dis toujours qu'il faut accueillir les nouveaux avec gentillesse, les intégrer au groupe et tout. Tu devrais être content que je me montre accueillante.

— Content peut-être, étonné sûrement. Il me semble que tu ne manifestes pas toujours autant d'empressement à accueillir les nouveaux.

— Peut-être pas, mais il est beau, *lui*, au moins… »

Toutes les filles ont approuvé bruyamment. Les gars, eux, ont pris un air dégoûté. «Un ostie d'Arabe, a grommelé Dave. Si c'est ça qui l'excite… »

«Bon, a poursuivi Robert, maintenant qu'on connaît les goûts de Nancy en matière d'hommes, on va peut-être pouvoir commencer le cours. Mais avant, je voudrais souhaiter la bienvenue à Karim. Karim Nakad, c'est bien ça? a-t-il précisé en consultant un petit papier jaune.

— Oui, Monsieur, a répondu celui-ci en se levant, ce qui lui a attiré des rires méprisants de la part de Dave et sa gang.

— Un conseil, a précisé Robert. Reste assis quand tu réponds et appelle-moi Robert. Ça va éviter que certains individus se mettent chaque fois à glousser comme un troupeau de poules émoustillées. O.K.? »

Le nouveau s'est contenté de hocher la tête avant de se rasseoir. Nancy avait raison. Il n'était pas très très jasant.

«Parfait. À présent, si nous reprenions cette règle du participe passé des verbes essentiellement pronominaux que vous avez eu tant de mal à comprendre avant Noël et que vous avez sûrement étudiée tous les jours durant les vacances. Sylvain, dis-moi, qu'as-tu retenu de… »

Pendant que Sylvain essayait tant bien que mal de retrouver cette fichue règle, le reste de la classe, exception faite de quelques zélés, s'est livré à ses occupations habituelles : bayer aux corneilles ou bâiller tout court, se curer le nez, se limer les ongles ou observer ses voisins. Je dois dire que, ce jour-là, l'observation des voisins battait tous les records. Ou plutôt, l'observation d'un voisin en particulier : Karim, le nouveau.

Pour ça aussi Nancy avait raison : ce gars-là était beau. Tellement beau qu'il détonnait même un peu dans la classe. Disons qu'il aurait semblé plus à sa place sur fond de sable et de ciel, chevauchant un chameau superbement dédaigneux ou un fier coursier lancé au galop entre les dunes. Ne me demandez surtout pas s'il y a des déserts ou des chameaux au Liban, je n'en sais rien. Mais ça donne une idée de l'allure de ce gars-là, genre prince du désert, sauvage et farouche. Grand, mince, les traits fins, la peau mate, les cheveux noirs et broussailleux, le regard perçant. L'image même du héros sans peur et sans reproche qu'on aimerait bien voir voler à notre secours en cas de feu, de tremblement de terre… ou d'examen de chimie.

Journal de Karim
10 janvier 1990

Le plus dur, m'avaient prévenu mes petits frères, c'est l'indifférence, l'impression d'être transparent. Et quand on a enfin le sentiment d'exister, c'est parce qu'on dérange ou qu'on vient de faire une gaffe...

Eh bien ! mes petits frères, si seulement c'était vrai ! Je ne rêvais que de cela, moi, l'isolement, l'indifférence et la transparence, en me rendant pour la première fois dans cette machine infernale qui s'appelle une polyvalente. Pour l'indifférence, on repassera ! J'avais plutôt l'impression d'être un phénomène de foire ou une bête livrée à la curiosité d'acheteurs éventuels. C'est tout juste si cette fille, cette « Nancy », ne m'a pas ouvert la bouche de force pour m'examiner les dents !

Et le prof qui s'est contenté de blaguer et de vouloir faire copain-copain. S'il s'imagine que j'ai besoin de sa gentillesse et de son amitié, il se trompe. Je ne veux rien de lui ni des autres.

Je hais cette école. Je hais cette ville.

Je hais cette vie.

Quand j'essaie de comprendre toute cette histoire, je me dis que Karim a eu l'effet d'un catalyseur. Comme dans les cours de chimie, quand on ajoute une substance et que ça provoque des tas de réactions.

Avant l'arrivée de Karim, un certain équilibre s'était établi dans la classe. Sans parler d'amour fou ni de parfaite harmonie, disons que c'était vivable. Autrement dit, malgré les différences de goûts, d'attitudes, de personnalités et de cultures, on arrivait à se côtoyer sans s'entretuer, ce qui n'est déjà pas si mal quand on songe aux flambées de violence qui éclatent à tout moment un peu partout et qui font les délices des journaux et des bulletins de nouvelles.

Et voilà que, du jour au lendemain, cet équilibre s'est trouvé chamboulé à cause d'un gars qui ne voulait rien savoir de personne mais qui avait le don d'exacerber les passions. Comme si sa seule présence avait fait tomber toutes les politesses, tous les compromis, toutes les habitudes qui nous servaient de tampon et nous permettaient d'évoluer en un même lieu sans nous heurter. Nous apparaissions enfin tels que nous étions, avec nos haines, nos désirs, nos préjugés, nos dégoûts, nos petites lâchetés…

Tout le monde a voulu s'approprier Karim, l'utiliser à ses fins propres.

Dans la plupart des cas, les sentiments étaient clairs, les buts et les moyens aussi. En gros, toutes les filles étaient pâmées sur Karim et auraient bien voulu faire fondre la réserve qu'il manifestait envers tout le monde. Et tous les gars ou presque – en particulier Dave et sa gang – en voulaient à Karim d'accaparer ainsi les rêves et les désirs des filles.

Du côté des amoureuses transies, il y avait bien sûr Nancy, qui, pour avoir remarqué Karim la première, se croyait des droits sur lui. Son approche, qui n'était pas des plus subtiles, avait au moins l'avantage d'être claire. Ainsi, dès le premier jour, elle s'est approchée de lui et lui a susurré de près tout en lui glissant une main sur la cuisse : « C'est-tu vrai que les Arabes ont le sang chaud ? » Sa voix dégoulinait de sous-entendus. Elle n'a peut-être pas appris ce jour-là si les Arabes avaient le sang chaud, mais tout le monde a constaté qu'ils pouvaient avoir le regard glacial. Cela n'a toutefois pas refroidi les ardeurs de Nancy, qui, aux dernières nouvelles, n'a pas encore perdu l'espoir de le séduire.

Mais tout le monde n'avait pas les mêmes méthodes. Peut-être même que tout le monde n'avait pas les mêmes visées en ce qui concernait le nouveau.

Ainsi, Sandrine aurait bien voulu l'embrigader dans son – tenez-vous bien – « Comité de conscientisation et de sensibilisation à la condition d'immigrante et d'immigrant ». Rien de moins !

Bon, aussi bien le dire tout de suite, je ne porte pas Sandrine dans mon cœur. Peut-être parce qu'elle veut tout diriger. Peut-être parce qu'elle se prend pour la sauveuse du monde en général et des « pauvres immigrants » en particulier. Peut-être tout simplement parce qu'elle agit tandis que je me contente d'observer et de noter. Le fait est qu'elle m'énerve. Et elle m'énervait encore plus à tourner ainsi autour de Karim. Je la comprends, remarquez. Elle n'avait pas un succès foudroyant avec son comité et ne réussissait à entraîner à sa suite que les plus perdues des plus perdues parmi les nouvelles arrivantes. Quelques Asiatiques, une Sud-Américaine, une Haïtienne… Elle devait trouver que ses protégées manquaient d'éclat. Elle voulait une figure plus marquante, plus énergique… plus virile surtout. Et Karim était la personne toute trouvée pour ça. Mais elle aussi s'est heurtée à un mur de silence et de froideur. Et quand elle a tourné les talons, traînant comme toujours dans son sillage My-Lan et Maria Gabriella, tout le monde savait qu'elle ne renoncerait pas aussi facilement et qu'elle reviendrait à la charge tant et aussi longtemps que Karim ne serait pas dans ses filets.

Bref, tout le monde s'est mis à épier le nouveau, à le guetter, à le traquer. Les uns pour tenter de le séduire, d'autres pour lui faire abandonner son indifférence, d'autres enfin pour se moquer de sa façon de parler « à la française » et de ce qu'ils appelaient son « air frais ».

«Comme ça t'étudiais au lycée français de Beyrouth, s'amusait à répéter Dave quand on a appris ce détail. Y'a pas à dire, pour un Arabe tu t'prends pas pour d'la marde… Tu serais pas tapette, par hasard? C'est-tu pour ça que tu veux rien savoir de la belle Nancy?»

Mais même ces insinuations, accompagnées de rires gras et de gestes vulgaires, échouaient à faire réagir Karim.

Personne ne le laissait tranquille. Pas même moi, qui avais enfin trouvé un bon sujet d'observation et d'analyse. Plus tard, je vais être écrivaine.

Journal de Karim
16 janvier 1990

Il fait froid. Je hais le froid et la neige.

Ici, les rues sont interminables, bordées de maisons inconnues, hostiles. Il n'y a pas de bombardements, non, mais pas de soleil non plus. Ou alors un soleil froid et insensible.

Qu'est-ce que je fais dans ce pays?

22 janvier 1990

Reçu une lettre de Béchir, réfugié avec sa famille à Paris. Énorme coup de cafard pour la bande du lycée, pour les copains, pour Béchir surtout, mon ami de toujours. Pourquoi faut-il qu'il soit si loin ? À lui, il me semble que je pourrais tout raconter. Mais il faudrait que je l'aie devant moi, avec son grand sourire et ses oreilles décollées. Par écrit, je n'en suis pas capable. Dans la lettre que je lui ai envoyée, je me suis contenté de décrire ma vie ici, le plus méchamment possible. J'ai tout déballé. Le froid, la grisaille, la laideur, l'accent qui écorche les oreilles, la bêtise des gens, le manque de respect, le laisser-aller, la vanité et la superficialité, la promiscuité...

27 janvier 1990

Rêvé de M... courant dans la neige. Quand elle s'est retournée en riant, ce n'était plus elle mais une fille de la classe de français, une Vietnamienne ou une Chinoise ou une Cambodgienne, quelque chose dans ce goût-là, qui me regardait par en dessous avec ses petits yeux hypocrites et son sourire qui a toujours l'air de s'excuser. De quel droit cette Chinetoque m'a-

t-elle volé mon rêve? De quel droit a-t-elle pris… Oh! comment faire taire cette douleur?

3 février 1990

Même de loin, Béchir − qui n'a pourtant jamais été reconnu pour son flair et sa subtilité − a compris que ça n'allait pas fort. Dans ma lettre, il a relevé quarante-deux choses que je hais ou que je déteste. Il me suggère 1. de varier un peu mon vocabulaire (j'abhorre, j'exècre, j'abomine, je maudis…) et 2. de dresser une liste d'au moins vingt et une choses que j'aime ici. Et, pour m'inspirer, il m'énumère vingt et une choses qu'il aime à Paris. Ça va d'un nom de rue (la rue du Pot-de-Fer) au goût des croissants, en passant par les grands principes de Paix, Liberté, Égalité, Fraternité… et une petite Parisienne qui s'appelle Lolote (là, je crois qu'il exagère).

Mon vieux Béchir, je vais tenter de faire ça pour toi, mais, dussé-je vivre ici cent ans, je suis certain que jamais je ne trouverai vingt et une choses qui me plaisent dans ce pays maudit.

Il me demande aussi, avec beaucoup de tact, si j'ai appris la mort de la famille Tabbara. Eh oui, vieux frère, j'ai appris, j'ai appris.

Tu veux des détails? Des détails bien juteux?
MERDE!!!!!

6 février 1990

Pas encore répondu à Béchir. Je cherche toujours la première des vingt et une choses. Par contre, la liste des choses honnies (je varie mon vocabulaire, n'est-ce pas) augmente à vue d'œil.

Pour le moment, la plupart ont trait à la polyvalente. Tout est minable dans cette boîte. L'éclairage, la « décoration », la bouffe, la cacophonie qui sort de la radio étudiante. Et surtout les gens, profs et élèves confondus.

Quant à ce qu'on apprend, c'est une véritable farce. En français, par exemple, on a droit ces jours-ci à des exposés oraux. Autrement dit, quelqu'un choisit une chanson – la plus insipide possible, si je me fie à ce que j'ai entendu jusqu'à maintenant –, la fait écouter aux autres puis, pendant de pénibles minutes, donne ses « feelings » sur la chanson. « Ben, j'pense que... en fait, c'qu'y veut dire c'est qu'l'amour c'est l'fun mais qu'des fois c'est plate. D'après moi, c'est ça qu'y veut dire. Pis chus ben d'accord avec ça. » Passionnant.

J'ai échappé à cette corvée en déclarant à Robert, le prof, que je n'écoutais jamais de musique et qu'on n'avait ni radio, ni magnétophone, ni rien de tout ça à la maison. « Notre religion nous l'interdit », ai-je prétendu. Je ne sais pas s'il m'a cru, mais il n'a pas insisté. Et moi, je ricanais intérieurement en racontant ces bobards. Disparu, le jeune homme parfait, celui qui répugnait à mentir. Disparu à jamais. Mais il n'y a plus personne pour s'en rendre compte.

7 février 1990

Coups de poing, aujourd'hui. Par deux fois, des mots coups de poing qui se sont frayé un chemin entre les tables de multiplication que je me récite mentalement pour passer le temps et oublier les imbéciles qui ânonnent leurs exposés oraux en avant. Des mots coups de poing qui m'ont atteint en plein ventre et m'ont fait mal à hurler.

… aux branches du genévrier

Je n'ai pas rêvé. J'ai bien entendu « aux branches du genévrier ». C'est la Chinoise qui était devant, avec son petit sourire et ses petits yeux, et elle parlait des branches du genévrier. Qu'est-ce qu'elle connaît aux genévriers, cette idiote ? Qu'est-ce qu'elle connaît aux branches du genévrier, et au vent qui pleure dans les branches du genévrier, et à la terre rouge que déchirent les racines du genévrier ?

Je me suis retenu. Je ne me suis pas jeté sur elle pour l'obliger à se taire. J'ai encaissé sans rien dire des mots d'une douceur atroce et déchirante :

Pleurez, oiseaux de février
Au sinistre frisson des choses
Pleurez, oiseaux de février
Pleurez mes pleurs, pleurez mes roses
Aux branches du genévrier

Mais après il y a eu l'autre fille, celle dont le regard me suit constamment mais qui ne dit jamais un mot.

Elle n'a d'ailleurs pas dit un seul mot avant de mettre le magnétophone en marche.

Une voix de femme s'est élevée :

Rien n'est jamais acquis à l'homme
Ni sa force, ni sa faiblesse, ni son cœur...

Je ne connaissais pas cette chanson, mais tout de suite j'ai su que je ne voulais pas l'entendre, que je ne voulais pas savoir ce qui allait venir et qui ne pouvait être que terrible.

J'avais raison. C'est venu.

Mon bel amour, mon cher amour,
ma déchirure
Je te porte dans moi comme un oiseau blessé

« NON ! »

J'étais debout et je venais de hurler. J'ai senti tous les yeux braqués sur moi, mais je me fichais pas mal de leurs regards et de leurs questions. J'avais encore au fond de la gorge une sensation de brûlure. Le magnétophone continuait de tourner, et les mots tombaient un à un, inexorablement, comme des gouttes de sang.

J'ai pris mes livres et j'ai réussi à sortir de la classe sans tomber.

Certaines images sont insoutenables.

8 février 1990

Je préfère les chansons insipides, finalement, et les crétins pour qui la vie se réduit à cette formule que certains arborent sur leur t-shirt : « Don't worry. Be happy. » Que sont, après tout, les guerres, les morts, les bombardements, les orphelins, la peur, les remords et les larmes? Les vrais drames, c'est de manquer de mousse coiffante ou de rouge à lèvres, ou encore d'oublier de brancher le magnétoscope avant le match de hockey ou le téléroman du jeudi soir.

Ou, dans mon cas, de devoir participer à trois jours de « classe-neige » avec tous ces abrutis. On part demain. Ça promet.

Après quelques semaines, le mystère aurait pu devenir lassant, les refus aussi. Pourtant, tout le monde s'acharnait, entretenant le mystère, cherchant à briser la barrière du refus.

Comme nous ne savions pas grand-chose de Karim, nous inventions à partir de ce que nous voyions, à partir de ce que nous croyions deviner.

Un lundi matin, par exemple, naquit une rumeur folle, invérifiable, qui se répandit comme une traînée de poudre : « Saviez-vous que Karim a un bébé ? »

Une fille de son cours de maths l'avait rencontré au parc, le dimanche après-midi, en compagnie d'un bébé.

« C'est ton petit frère ?

— Non.

— Ton cousin, alors ?

— Non.

— Un enfant que tu gardes ?

— Non. »

De cet échange plutôt laconique surgirent les suppositions les plus échevelées. Karim avait pour maîtresse une femme mariée, qui avait dû se débarrasser du bébé à sa naissance. Karim s'était marié à quinze ans avec une fillette de douze ans qui était morte en couches (qui sait quelles sont les coutumes de ces pays-là). Karim avait connu une torride et illicite histoire d'amour qui s'était soldée par la naissance de cet enfant et la disparition de la jeune fille…

Karim lui-même entendit-il parler de toutes ces histoires ? Je ne sais pas. Mais elles servirent à entretenir la curiosité à son égard.

Il y eut aussi l'épisode du cours de français, que j'ai déclenché sans le vouloir et que je n'ai pas encore compris.

My-Lan venait de terminer son exposé sur la chanson qui commence par « Ah ! comme la neige a neigé… », tirée d'un poème de Nelligan, et je commençais le mien.

J'avais choisi de commenter la chanson « Il n'y a pas d'amour heureux », chantée par Barbara, sur un poème d'Aragon mis en musique par Georges Brassens. Je ne sais pas ce qu'il y a de vrai dans le titre, mais j'aime cette chanson, qui est digne et tragique en même temps.

J'ai fait partir le magnétophone. Comme je me sentais plutôt mal à l'aise, seule devant la classe, je regardais le bout de mes pieds en me demandant pourquoi j'avais mis ces bas-là quand, tout à coup, quelqu'un a hurlé. J'ai levé les yeux et j'ai vu Karim, debout, l'air complètement bouleversé. Il n'avait plus rien de froid ni d'indifférent. Dans ses yeux, il y avait de la rage, de l'horreur, de la peur, mais surtout une effroyable tristesse. C'est alors que j'ai compris que ce gars-là n'était ni hautain ni méprisant, comme le prétendaient certains. Il était simplement désespéré.

ﺩ ﻉ

Karim continuait donc de nous intriguer. Et l'effet Karim, l'effet catalyseur de Karim, continuait de sévir.

Les tensions, les heurts, les accrochages n'avaient jamais été aussi présents qu'au cours des semaines qui ont suivi son arrivée.

Il ne se passait pas une journée sans qu'une bataille éclate à la cafétéria ou du côté des cases. Pas une semaine sans que des élèves se fassent suspendre de l'école pour quelques jours. En classe, les insultes et les coups volaient bas. La gang à Dave était particulièrement pénible. Ils s'en prenaient à Karim, bien sûr, mais aussi à tous ceux dont la tête ne leur revenait pas.

« Pis, Sylvain la tapette, non, Sylvette la tapette, tu pognes-tu, ces jours-ci ? C'est-tu pour ça que tu marches les fesses serrées ? »

« Pis, la grosse torche à Sandrine, ça t'excite-tu d'écouter les malheurs des autres ? »

« Pis, Nancy, en attendant de pogner ton Arabe, pourquoi tu nous laisserais pas te pogner les totons ? »

Bref, ils jouaient les durs, et ils étaient tout à fait convaincants. Probablement que, dans le fond, ils n'étaient pas vraiment méchants et que si quelqu'un s'était inspiré d'eux pour réaliser une mini-série à la télévision, tout le monde aurait pleuré à chaudes larmes sur leurs malheurs passés, présents et à venir. Mais d'avoir à les supporter tous les jours en classe, ça ne donnait pas le goût de brailler de compassion mais de hurler de rage. Question de perspective.

Toujours est-il, comme dirait ma grand-mère, que c'est dans cette atmosphère pour le moins explosive que nous sommes partis pour la classe-neige. Pas étonnant qu'il soit arrivé ce qui est arrivé.

En fait, ce n'était pas vraiment une classe-neige mais une fin de semaine dans le Nord organisée par Robert, le prof de français. Il en organise une tous les ans, sous prétexte que ça nous aide à mieux nous connaître et que ça favorise l'esprit de groupe. Pour ce qui est de mieux nous connaître, il a sans doute raison. En tout cas, ça aide à connaître la couleur du pyjama de chacun et sa marque de dentifrice. Pour ce qui est de l'esprit de groupe… disons qu'à première vue ça n'a pas eu le succès escompté.

Le départ en autobus a ressemblé à tous les départs en autobus, c'est-à-dire à quelque chose qui tenait du tremblement de terre et de la fin du monde, avec cris, pleurs et grincements de dents.

Le trajet s'est fait dans le bruit et la confusion avec, d'une part, Sandrine qui voulait nous entraîner à chanter des trucs comme « À la claire fontaine » et « Il était un petit navire » et, d'autre part, Dave et sa gang qui hurlaient des versions cochonnes des mêmes chansons et qui se relayaient au goulot d'une bouteille de gros gin.

Le chauffeur – stoïque ou sourd – a réussi à nous mener à bon port, ce qui est déjà un exploit.

En arrivant… Mais peut-être n'est-il pas nécessaire de décrire la fin de semaine dans ses moindres détails et de préciser ce qu'on a mangé pour déjeuner, pour dîner et pour souper, qui a lavé la vaisselle et qui l'a essuyée, qui ronfle et qui ne ronfle pas. Je vais me contenter de souligner les détails les plus marquants, ou du moins ceux qui, par la suite, ont pu apparaître lourds de sens.

Comme le sourire de Karim – son premier sourire ! – quand il a glissé jusqu'au lac en skis de fond. Ou son regard de haine quand My-Lan s'est laissée tomber dans la neige pour faire l'ange en battant des bras. Ou son silence, le soir venu, quand Robert a voulu que les « Québécois de fraîche date s'expriment sur leur vécu ».

À vrai dire, au début, c'est surtout Sandrine qui s'est « exprimée sur le vécu des autres ». Je l'ai déjà dit, je n'aime pas Sandrine. Alors, forcément, ce qu'elle disait me tombait sur les nerfs. J'avais l'impression d'assister à un cours de religion donné par un prof particulièrement ennuyeux et moralisateur.

« ... terrible, vous savez, quand on ne connaît ni la langue ni les coutumes. Quand on ne comprend rien de ce qui se passe. Quand on est confronté à des situations qui vont à l'encontre de ce qu'on a toujours cru, à l'encontre des principes de notre famille ou de notre religion. My-Lan, par exemple, est arrivée ici il y a trois ans... ne parlait pas un mot de français... une de ses sœurs tuée devant ses yeux... la guerre... la fuite... la peur... choquée par ce qu'elle voit... sa sœur de vingt-deux ans n'a même pas le droit de sortir seule avec un garçon, alors ce qui se passe dans les corridors de la poly, vous imaginez... »

Et puis, au moment où j'essayais d'oublier la voix de Sandrine – et les yeux de My-Lan, obstinément fixés sur la portion du plancher qui se trouvait devant elle – et de me concentrer sur les lueurs du feu dans la cheminée, sur l'odeur du bois qui brûlait et sur le crépitement des flammes, d'autres voix ont commencé à s'élever.

« Ce qui m'a frappé quand je suis arrivé ici, a dit Tung, c'est la diversité ethnique.

C'était la première fois que je voyais autant de Blancs, la toute première fois que je voyais des Noirs.

— Et moi, a riposté Pascale dans un grand éclat de rire, c'était la première fois que je voyais des Jaunes. Ça ne court pas les rues, à Haïti ! »

Et, les uns après les autres, Ernesto, Ali, Tung, Maria Gabriella, Pascale et My-Lan ont parlé de ce qui les avait étonnés, choqués, émus, intéressés ou effrayés. Seul Karim persistait à se taire.

« La neige, a soupiré Maria Gabriella. C'est tellement froid.

— Oui, mais c'est beau ! s'est exclamée My-Lan.

— Les filles aussi sont belles, a fait remarquer Ernesto.

— Moi, j'aime mieux celles de mon pays », a laissé tomber Ali, méprisant, parmi les protestations des filles d'ici…

Tous, ils ont été frappés de voir à quel point la discipline et le respect n'avaient pas l'importance qu'on leur accorde dans leur pays d'origine.

« Au début, a avoué Tung, j'ai été très choqué par ce qui m'apparaissait comme de l'impolitesse, de l'insolence et même de l'indécence. Je trouvais que les jeunes manquaient de respect envers tout le monde : leurs parents, leurs professeurs, les adultes en général, et même les uns envers les autres. À présent, j'y suis plus habitué. Je continue à trouver certaines attitudes provocantes, mais il y a beaucoup de choses qui me plaisent. On peut parler plus librement, donner notre point de vue. Mais j'ai parfois du mal à concilier ce que j'apprends à l'école ou dans la rue avec les idées de mes parents. »

Dans leur coin, Dave et sa gang faisaient les imbéciles (rien de bien nouveau de ce côté-là). Au début, ils passaient leurs commentaires sur à peu près tout ce qui se disait. « Ça fait-tu pitié ! » « Tu me dis pas ! » « Ça se peut-tu, être arriérés de même ! » Ils ont fini par se lasser de ce jeu (ou alors c'est qu'ils étaient à court de stupidités et d'insignifiances). Ensuite, ils se sont contentés de faire semblant de ronfler, de péter et de roter. Puis ils se sont lancés dans des tentatives de tripotage du côté de Nancy, Violaine et Karine, les aguicheuses, comme je les appelle. « Les épais et les aguicheuses » : on dirait un titre de fable de La Fontaine. « Les épais, ayant niaisé toute la journée / Se trouvèrent fort dépourvus / Quand le soir fut venu… »

« Et le racisme ? a demandé Robert à un moment donné. Avez-vous le sentiment qu'il y a du racisme autour de vous ? »

Sandrine, qui, depuis un moment, faisait des efforts désespérés pour revenir dans la conversation, s'est emparée de ce sujet avec enthousiasme.

« L'idéal, a-t-elle lancé d'une voix aiguë, c'est quand tout le monde va être pareil, brun pâle, et qu'on va tous parler la même langue, l'espéranto. »

Là, Pascale a explosé.

« Ah non, alors ! Ton idéal, c'est un idéal de robots, un idéal de peureux qui ne veulent surtout pas être surpris ou dérangés dans leur confort et leurs petites habitudes. Tout le monde pareil ! Et qu'est-ce qui va se passer quand quelqu'un va naître avec des taches vertes, ou un seul bras, ou deux têtes ? Qu'est-ce qui va arriver si quelqu'un a des idées un peu différentes ou des goûts bizarres ?

« Moi, vois-tu, je tiens à mes différences. Je tiens à ma peau noire, à mes rires que certains trouvent trop bruyants, à ma façon de bouger que certains trouvent provocante. Je ne veux pas être comme tout le monde. Crois-le ou non, tout le monde ne rêve pas d'être Blanc. J'en ai ras le bol d'entendre parler de minorités visibles, d'ethnies, d'immigrants. Je ne suis pas une minorité visible ou une ethnie, je suis Pascale Élysée, Haïtienne d'origine, Québécoise d'adoption et de cœur, établie au Québec et bien décidée à y faire ma vie. Je suis Noire, oui, mais je suis surtout une fille de seize ans qui aime la chimie, la danse, le magasinage et le poulet rôti. On parle toujours des immigrants en bloc (« ils » sont ceci ou cela), et ça me fait bondir. Nous ne sommes pas tous pareils. Et quand on se donne la peine de faire des distinctions, on scinde par pays d'origine, ou par couleur de peau, ou par religion. Les Asiatiques sont tellement polis et travaillants, ils ne dérangent personne, les profs les adorent. Les musulmans sont bigames, ou polygames, ils ne mangent pas de porc, ils ne boivent pas d'alcool, ils traitent leurs femmes comme du bétail. Les Hispanos sont machos et courailleurs. Les Noirs puent, ils sont gueulards et paresseux, etc. Ce n'est pas plus brillant que de dire que les Québécois sont racistes, intolérants et hypocrites. Ça n'existe pas, ces grands blocs-là. Ce qui existe, ce sont des individus, différents, originaux, qu'il faut prendre la peine de connaître avant de juger. Moi, vois-tu, je revendique le droit d'être moi, et pas une curiosité ou un échantillon ethnique. Je ne veux pas qu'on fasse appel à moi seulement en tant que minorité visible, pour avoir mon "témoignage" ou pour en savoir un peu plus sur le vaudou, le créole, les recettes typiques ou les meilleures plages d'Haïti. Je revendique le droit de posséder des caractéristiques multiples, parfois même contradictoires, mais qui sont les miennes. Et je n'ai pas l'intention de passer ma vie à vous remercier de m'avoir accueillie au Québec. Je n'ai pas l'intention de marcher les yeux baissés, la voix étouffée, pour ne pas trop me faire remarquer. Que vous le vouliez ou non, je suis ici pour rester et pour vivre, et pas juste comme décoration exotique et folklorique ! »

Pascale s'est arrêtée un peu pour souffler.

J'avais moi aussi besoin d'une pause pour digérer tout ça. Finalement, l'idée de Robert avait du bon. La grande envolée de Pascale ouvrait de nouvelles avenues de réflexion. Et peut-être aurions-nous pu en explorer quelques-unes ce soir-là si Dave (qui d'autre ?) n'avait pas continué ses singeries.

« Ta gueule, la décoration, a-t-il crié de son coin. Tu te fais tellement aller les babines que j'ai de la misère à me concentrer sur Nancy. »

Il a chatouillé Nancy, qui s'est mise à pousser des petits cris. Il a continué à la chatouiller, elle s'est tortillée dans tous les sens. Il a poussé ses chatouilles un peu plus loin, elle s'est étendue carrément sur lui.

« Bon, bien, il se fait tard, je crois qu'il est temps d'aller au lit, a annoncé Robert.

— Ataboy, Bob, là tu parles ! s'est écrié Dave en faisant mine d'entraîner Nancy à sa suite.

— Les gars dans un dortoir, les filles dans l'autre, a précisé Robert d'un ton particulièrement ferme.

— Ah oui, c'est vrai, ça pourrait choquer les petites importées, pas vrai My-Lan ? a ricané Dave en direction de celle-ci. Un de ces jours, il va pourtant falloir qu'on te déniaise… »

Et, avec un rire gras et sardonique à souhait, il s'est dirigé vers le dortoir des garçons, sa gang sur les talons.

Je me suis réveillée en sursaut, le cœur dans la gorge. Il se passait quelque chose, j'en étais sûre. Mais quoi ?

Autour de moi, d'autres commençaient aussi à s'agiter.

« Qu'est-ce qui se passe ? C'est pourtant pas l'heure de se lever, il fait encore noir… »

« J'ai entendu un cri… »

« Il y a eu un genre de boum… »

Soudain, plus de doute possible, un hurlement a traversé les murs :

« Christ ! Faites quelque chose, il va le tuer ! »

Des bruits sourds, des exclamations étouffées, puis un nouveau cri :

« NON !!! »

Ce n'est qu'à ce moment que nous nous sommes tous précipités vers les toilettes des gars, d'où venait tout ce vacarme.

Jamais je n'oublierai la scène qui s'étalait sous nos yeux et dont les moindres détails étaient impitoyablement soulignés par la lumière crue des néons.

Par terre, dans ce qu'il faut bien appeler une mare de sang, gisait Karim. Debout près de lui, l'air hagard, les lèvres fendues, un œil amoché, se tenait Dave, un couteau sanglant à la main. Autour, à distance prudente, s'alignaient les copains de Dave. Enfin, dans un coin, la robe de chambre en désordre, My-Lan semblait pétrifiée.

Les lèvres de Dave se sont mises à trembler, et il a levé un regard incrédule et horrifié vers nous tous, massés près de la porte sans oser avancer.

« Il voulait me tuer. C'est un christ de malade. Il était après me tuer… »

Et il s'est mis à pleurer à grands sanglots rauques.

« Mais là c'est toi qui l'as tué…

— Je sais pas… je voulais pas le tuer… je vous jure que je voulais pas le tuer… je voulais juste qu'il me lâche… qu'il me lâche… »

Nous serions probablement restés plantés là sans bouger jusqu'à la fin des temps si, tout à coup, Simon, un gars plutôt silencieux d'habitude, n'avait pas murmuré : « Il n'est peut-être pas mort… », déclenchant ainsi de fébriles opérations de vérification (en effet, Karim n'était pas mort) et de sauvetage (il avait beau être vivant, son état nécessitait des soins urgents).

Courses rapides à travers la maison, téléphones, attente, arrivée de l'ambulance, transport du blessé à l'hôpital le plus proche…

Ce n'est qu'après l'évacuation de Karim que nous avons su ce qui s'était passé… Et encore, les témoignages ne concordent pas toujours et ils sont loin de tout expliquer. Tenons-nous-en donc à une chronologie sommaire des faits.

Tard dans la nuit, Dave et sa gang se sont installés dans les toilettes des gars pour vider une bouteille de vodka. Chacun ses goûts.

À un moment donné, ils ont entendu du bruit dans le couloir. En jetant un coup d'œil, ils ont aperçu My-Lan, qui se dirigeait vers la cuisine d'un petit pas rapide.

« Tiens, tiens, a murmuré Dave. La petite importée. Qu'est-ce que vous diriez qu'on s'amuse un peu, les gars ? »

Ils ont donc intercepté My-Lan au passage et lui ont demandé ce qu'elle faisait là.

« C'est pas prudent de se promener comme ça en pleine nuit. Il peut arriver plein de choses en pleine nuit. Mais c'est peut-être justement ça que tu veux… Tu t'en vas-tu retrouver ton amoureux ?

— Non. Je vais chercher un verre d'eau. Les spaghettis du souper m'ont donné soif. »

Les gars ont ri.

« Un verre d'eau. On a quelque chose de ben mieux à t'offrir, My-Lan. De ben mieux. »

Ils l'ont entraînée avec eux dans les toilettes et, malgré ses efforts pour leur échapper, l'ont forcée à avaler une bonne rasade de vodka.

Puis ils l'ont pelotée un peu.

« Juste pour rire, ont par la suite précisé les gars. On lui aurait pas fait mal pis on l'aurait pas violée. On voulait juste s'amuser pis la déniaiser un peu. C'est tout. »

On ne saura jamais si c'est vrai. On ne saura jamais non plus si, dans le feu de l'action, leurs gestes n'auraient pas fini par dépasser leurs intentions.

Une chose est sûre, My-Lan, elle, ne trouvait pas ça drôle du tout. Elle s'est débattue, a tenté de s'échapper, d'appeler.

Et puis, tout à coup, surgi d'on ne sait où, Karim est apparu.

« Lâchez-la.

— Les nerfs, l'Arabe. Gâche-nous pas notre fun.

— Laissez-la tranquille.

— Quand on va avoir fini avec elle, on va te la laisser. Promis. Pis tu pourras faire ce que tu veux avec. Elle a pas vraiment de seins, mais… »

Dave n'a jamais pu terminer sa phrase. Karim est tombé sur lui à bras raccourcis.

« Christ, il a failli me tuer. J'ai jamais vu un enragé de même. »

Les autres ont confirmé que Karim cognait comme un défoncé et qu'il semblait décidé à ne lâcher Dave qu'après l'avoir assommé… ou tué.

Luc, le meilleur chum de Dave, avait un couteau à cran d'arrêt dans sa poche. Il l'a refilé à Dave, qui a frappé devant lui, au hasard, aveuglé par les coups qui continuaient à pleuvoir sur lui.

« Je voulais juste qu'il me lâche, je vous dis. Je voulais juste qu'il me lâche. »

Journal de Karim
14 février 1990

Je me suis réveillé à l'hôpital. Étonné d'être encore en vie. Déçu presque.

Trois côtes fêlées, l'arcade sourcilière fendue, une dent cassée. Et cette superbe entaille qui, semble-t-il, a failli me faire passer de vie à trépas. « Trois quarts de pouce plus loin et ça y était, mon gars », a précisé le médecin.

C'est quand même bizarre de se tirer indemne de quatorze ans de guerre pour quasiment laisser sa peau à Saint-Donat, Québec, où les bombardements et les pilonnages doivent être assez rares, merci.

N'empêche que ça aurait été… quoi ? une solution ? Oui, peut-être une solution. Rapide. Finale. Apaisante. Plus de rêves. Plus de souvenirs. Plus de remords. Le bonheur, quoi. Et, en plus, je serais mort en héros… Quelle farce, quelle monumentale farce !

Je rêvais. Encore le même rêve. Celui de la montagne, après le cri, quand je courais sans savoir ce qui m'attendait. Je ne sais pas ce qui m'a réveillé, mais je me suis retrouvé assis dans mon lit, essoufflé, le cœur battant. C'est à ce moment-là que j'ai entendu une porte se refermer, une exclamation étouffée. J'ai su tout de suite que ça venait des toilettes. J'y suis allé. J'ai ouvert la porte. Avant même de les avoir vus, je savais qu'ils étaient là. Je savais qu'elle était là. Je l'ai toujours su. Ils la tenaient. Ils la touchaient. Il y avait tellement de peur dans ses yeux, tellement d'horreur, tellement... Le temps s'est arrêté. Le décor a disparu. Il n'y avait plus qu'eux. Et elle. J'ai avancé et j'ai cogné, cogné, cogné, cogné, cogné, co...

Un peu plus tard

My-Lan vient de partir. Il fallait voir sa tête quand l'infirmière a ouvert la porte d'un geste théâtral en disant : « Tiens, petite, le voici ton grand blessé. » Et à moi : « Dis donc, tu m'avais caché que tu avais une amoureuse aussi mignonne. Et tu as vu les belles fleurs qu'elle t'a apportées pour la Saint-Valentin ? Je vous laisse, mais... soyez sages ! »

My-Lan s'est d'abord affairée à trouver un vase pour mettre les fleurs, puis de l'eau pour mettre dans le vase, puis un endroit pour mettre le vase… Après, n'ayant plus rien à faire, elle s'est assise du bout des fesses dans le fauteuil à côté du lit.

« Je ne peux pas rester longtemps. J'ai dit à mes parents que j'allais étudier chez Sandrine. Je… je voulais te remercier. »

J'ai horreur des remerciements. Surtout quand ils ne sont pas mérités.

« Merci de ce que tu as fait pour moi, surtout que je sais que tu ne m'aimes pas beaucoup. Alors… »

Ce n'est pas cela. Ce n'est pas cela du tout. Mais comment lui expliquer ?

My-Lan s'est levée pour s'en aller. Je n'avais toujours pas dit un mot. Je ne pouvais quand même pas la laisser partir comme ça, avec son air piteux et ses mains vides. Alors j'ai dit : « C'est vrai qu'elles sont belles, tes fleurs. » Et j'ai ajouté, très vite pour ne pas changer d'idée : « Excuse-moi, aujourd'hui je suis fatigué. Mais tu peux revenir demain, si tu veux. » Elle n'a

rien dit. Elle s'est mordu les lèvres, elle a incliné
la tête et elle est partie.

Qu'est-ce qui m'a pris de l'inviter à revenir ?
Est-ce que ça m'intéresse vraiment de prolonger
le malentendu ? Elle croit que j'ai fait ça pour
elle. Mais ce n'est pas pour elle que j'ai fait ça.
C'est pour M… Non, même pas. Pour moi.

DEUXIÈME PARTIE
LE LIBAN, C'EST D'ABORD UNE MONTAGNE

Beyrouth-Chlifa (Liban), juin 1989

Celui qui reste assis est une pierre
Celui qui va est un oiseau

Proverbe libanais

Aux premières lueurs de l'aube, dans cette brève accalmie qui sépare les bombardements de la nuit de ceux du jour, Karim se hâte le long de la rue Mar Elias, en direction du quartier Mazraa, où habite Nada.

C'est sa première sortie en trois jours, et, malgré les ruines encore fumantes, malgré le danger tapi dans chaque coin, malgré les coups de feu isolés qui éclatent parfois à proximité, Karim est heureux. Il a enfin l'impression de respirer. Il en avait assez de ces allers-retours entre l'appartement vide et la cave de l'immeuble, assez de cette vie close et stagnante.

« Une vraie vie de rats », murmure-t-il avec un regard vers le ciel d'un bleu pâle et très pur.

Cette vie de rats, comme dit Karim, dure depuis trois mois. Depuis que les bombardements ont repris, avec une violence qui rappelle les pires moments de cette guerre qui semble ne devoir jamais finir.

Il y a si longtemps qu'elle dure, la guerre, que Karim n'a aucun souvenir de ce qu'était le Liban, *avant*. À vrai dire, son souvenir le plus lointain remonte précisément au premier jour « officiel » de la guerre, le 13 avril 1975.

C'était un dimanche, un dimanche de soleil éclatant, de brises tièdes, d'odeurs grisantes. Un vrai jour de fête pour le troisième anniversaire de Karim. L'après-midi, après la sieste, son père avait promis de l'emmener à la grotte aux Pigeons, sur le bord de la mer. Cette excursion devait être suivie d'un tour de grande roue sur la plage et d'un pique-nique.

Mais, au moment du départ, le téléphone avait sonné. Son père, après des excuses hâtives, était parti seul. Il était resté absent des heures et des heures. L'excursion n'avait pas eu lieu. Karim avait piqué une crise de rage dont sa mère parle encore après tout ce temps et dont il a un peu honte quand il songe au drame plus vaste qui s'amorçait alors.

Si son père s'était ainsi précipité au dehors, c'était pour se rendre à Aïn Remmaneh, un quartier où la violence venait d'éclater entre chrétiens et Palestiniens. On parlait de provocation, de coups de feu, de tuerie… Le père de Karim était journaliste, et son journal, *An Nahar*, lui avait demandé de se rendre sur les lieux pour couvrir les événements.

Plus tard, Karim a appris qu'il n'avait suffi que de quelques heures pour que le pays bascule dans la guerre civile, pour que des populations qui cohabitaient jusque-là paisiblement s'affrontent à présent dans les rues. Barricades, fusillades, voitures renversées, tirs de roquettes, haine et destruction : ce jour-là avait vu naître le spectacle tristement familier des années à venir.

Karim a grandi avec la guerre. Il en a subi les effets sans en comprendre le déroulement. Il est vrai que les experts eux-mêmes s'embrouillent dans les fils de cette guerre imprévisible, souvent irrationnelle, dans laquelle on ne compte plus les soubresauts, les arrêts, les reprises, les revirements et les surprises. Sans doute parce que les causes en sont complexes et les protagonistes, nombreux. Sans doute aussi parce qu'aux conflits locaux se sont greffées les ingérences et les visées étrangères. Et aussi parce que, comme dans toutes les guerres, certains individus et certains groupes y trouvent leur compte.

Les acteurs de cette guerre ont noms chrétiens, musulmans sunnites ou chiites, Druzes, Palestiniens, Syriens, Israéliens… Chaque parti, chaque faction a sa milice armée, chaque milice contrôle un coin de pays ou un bout de Beyrouth, les alliances se font et se défont au gré des jours ou des années, les luttes entre milices sont féroces. Depuis des années, la ville est coupée en deux, divisée en son cœur par la « Ligne verte », long ruban de ruines et de désolation. À l'est, les chrétiens. À l'ouest, où habite Karim, les musulmans. À présent, il n'y a plus de gouvernement, plus d'institutions, plus d'électricité – ou alors seulement une ou deux heures par jour –, plus d'eau courante… Rien que des habitants qui se regroupent par famille, par immeuble, par quartier, pour survivre au milieu du chaos, au milieu de cette jungle urbaine qu'est devenue Beyrouth. Les habitants se sont procuré des petites génératrices afin de produire de l'électricité. Des puits ont été creusés dans certains quartiers.

Peu à peu, au fil des ans, les Beyrouthins se sont habitués à cette vie qui, du dehors, semble inhumaine. Ils ont appris à ne pas faire de projets, à vivre au jour le jour, à étudier ou à travailler par à-coups, quand les conditions le permettent. Ils ont appris à plier leur vie aux circonstances de la guerre, à ne plus s'énerver quand des tirs éclatent à l'autre bout de la ville ou même dans la rue voisine. Et, parmi les décombres, au cœur d'une ville qui se dégrade sans cesse, la vie continue, comme ailleurs, avec ses rires et ses drames, ses amours et ses naissances, ses rêves et ses désillusions.

Depuis trois mois, cependant, la situation est intolérable. Les bombardements se succèdent à un rythme effréné. La peur est partout. Et, surtout, les regroupements de voisins s'effritent, la vie sociale s'effiloche. Les Beyrouthins fuient la ville comme jamais. Dès le mois de mars, quand les bombardements se sont intensifiés, ceux qui venaient de l'extérieur de Beyrouth sont retournés chez eux. Et, depuis quelques semaines, les uns après les autres, ceux qui en ont les moyens quittent le pays, certains pour la France, d'autres pour l'Afrique du Nord ou pour l'Amérique.

Le cas de la famille Nakad est un peu différent. Quelques jours avant la reprise des bombardements, les parents de Karim se sont envolés pour Montréal, en Amérique, en compagnie de Walid et Tarek, leurs fils les plus jeunes. Pas parce qu'ils sentaient venir le danger, mais tout simplement pour rendre visite à la grand-mère de Karim, réfugiée au Canada depuis quelques années et qui devait subir une opération chirurgicale. Son fils et sa bru ont voulu être près d'elle à cette occasion. Et si Karim ne les a pas accompagnés, c'est qu'il préparait la première partie du baccalauréat et qu'il ne pouvait pas se permettre de manquer ses cours au lycée. Ses parents ont fini par se résoudre à le laisser seul à Beyrouth.

« Après tout, a dit son père avant de partir, tu as presque 17 ans.

— Et nous ne serons partis que trois semaines », a ajouté sa mère, sans se douter que la situation du pays se dégraderait à un point tel que les trois semaines prévues s'étireraient pour devenir des mois, peut-être même des années.

Ironiquement, le lycée est fermé depuis le 14 mars, le jour où les bombes se sont mises à pleuvoir avec rage, et le baccalauréat est à présent la dernière des préoccupations de Karim.

Le 14 mars. Il se dirigeait vers le lycée avec Béchir, son copain de toujours, quand des bombes ont éclaté non loin de l'endroit où ils se trouvaient. Karim se souviendra toujours de l'affolement qui a suivi. Des gens paniquaient, abandonnant leur voiture en pleine rue et créant des embouteillages monstres, devant lesquels les policiers restaient impuissants. Des parents cherchaient désespérément leurs enfants ; des enfants pleuraient au beau milieu de la rue ; des cris s'élevaient un peu partout.

Karim et Béchir ont pu, sans trop de mal, retourner chez ce dernier, où ils ont été accueillis par des cris de soulagement et de grandes embrassades.

Le système téléphonique ayant vite été surchargé, ce n'est qu'au bout de trois jours que Karim a réussi à parler à ses parents, fous d'inquiétude à l'autre bout du monde. Le garçon a tenté de les rassurer en disant que, de loin, la situation semble toujours pire qu'elle ne l'est en réalité. Il leur a surtout promis de rester avec Béchir et sa famille tant que tout danger ne serait pas écarté.

Les premiers jours, les deux garçons ont pris de bonnes résolutions, étudiant d'arrache-pied pour se préparer au bac. Puis, les jours passant mais les bombes s'obstinant à tomber, le zèle des deux amis a perdu de son ardeur. Au bout de trois semaines, ils passaient de longues heures à jouer au backgammon ou aux échecs, à philosopher sur la vie, la mort, l'amour ou, de plus en plus souvent, sur les mérites respectifs des filles qu'ils connaissaient.

« J'aime bien Fatima et Raya, disait Béchir. Ce sont de bonnes copines, et qui ne se prennent pas au sérieux. »

Karim, lui, parlait de Nada.

Nada ! Il n'avait qu'à évoquer son nom pour voir sa longue silhouette, ses cheveux tellement longs et épais qu'ils lui faisaient comme un voile, son sourire tendre ou ironique selon les jours, ses hanches rondes, ses seins un peu lourds qui bougeaient joliment quand elle courait… Tous ces détails qu'il avait mis si longtemps à remarquer et qui le troublaient tant maintenant.

Il connaissait Nada depuis toujours, ou presque, puisqu'ils fréquentaient tous les deux le lycée Abd-el-Kader, au cœur de Beyrouth-Ouest, depuis l'âge de trois ans. Ensemble, au sein du groupe amical que formait la bande du lycée, ils avaient tracé leurs premières lettres et appris leurs premiers mots de français. Comme tous les autres, ils avaient participé aux jeux, aux sorties, aux excursions organisés par le lycée ou le mouvement scout. Une saine amitié les liait, pareille à celle qui les liait aussi aux autres membres du groupe.

Et jamais Karim n'avait éprouvé le moindre trouble en présence de Nada, pas plus d'ailleurs qu'en présence des autres filles, jusqu'à ce jour de l'été dernier où, pendant un pique-nique, Nada s'était penchée pour lui verser de la limonade. Dans son mouvement, sa blouse avait bâillé. Karim, brusquement ému, avait entrevu une bande de peau très pâle, deviné la courbe d'un sein.

Cela n'avait duré qu'une fraction de seconde. Nada s'était vite relevée, apparemment inconsciente de l'émoi du garçon. Mais cette fraction de seconde avait suffi à faire basculer les sens et les rêves de Karim.

Les mois suivants avaient été pour lui un long et délicieux tourment. Il voyait Nada comme avant, c'est-à-dire presque tous les jours, en classe ou chez des copains, mais sans jamais obtenir d'elle autre chose qu'un sourire ou un regard plus appuyé. Il aurait voulu la toucher, lui prendre la main ou l'embrasser, mais il n'osait pas, pas devant les autres. Quant à la voir seule, il ne fallait même pas y penser. Les parents de Nada étaient très stricts et n'auraient jamais permis à leur fille de fréquenter un garçon sérieusement.

La nuit, dans son lit, Karim avait parfois du mal à trouver le sommeil. Il pensait à Nada. Il prolongeait la vision du pique-nique, dénudait ses seins, son ventre. Il imaginait son corps nu, lisse et crémeux. Il n'osait jamais aller plus loin et, vaguement honteux, s'empressait de chasser de son esprit ces visions délicieusement troublantes.

Au lycée, il s'efforçait de ne pas montrer son attirance pour Nada. Seul Béchir avait eu droit à ses confidences.

« Mais fais quelque chose, ne cessait de répéter celui-ci. Le rôle d'amoureux transi ne te convient pas du tout. Parle-lui, écris-lui un poème, apporte-lui des fleurs ou du chocolat, je ne sais pas, moi. Mais cesse de soupirer et de gémir chaque fois que tu tournes les yeux de son côté.

— Je ne gémis pas chaque fois que je la regarde !

— Mais si, tu gémis. Intérieurement, bien sûr, mais tu gémis.

— Ça ne se voit pas.

— C'est ce que tu crois. »

Béchir avait presque réussi à convaincre Karim de faire quelque chose (un « quelque chose » encore vague et indéterminé) quand les bombardements avaient repris, empêchant tout contact avec Nada.

« Toi qui allais justement passer à l'attaque », se désolait Béchir.

Au bout d'un moment, sa désolation s'est muée en exaspération, car Karim passait de plus en plus de temps à lui rebattre les oreilles de Nada, Nada, Nada.

« Ça suffit, a-t-il déclaré un beau matin d'avril. Demain, pour ton anniversaire, on va aller voir Nada. »

Karim en est resté muet d'étonnement.

« Ben quoi ? a repris Béchir. Il y en a qui vont aux provisions, ou à la pharmacie, ou à l'hôpital, pourquoi nous, on n'irait pas à Nada ? Ça nous fera prendre l'air. Chaque fois qu'on se risque à mettre le nez dehors deux minutes, c'est pour donner des coups de pied dans un ballon, et je commence à en avoir marre, des ballons. »

Et le lendemain matin, à l'aube du dix-septième anniversaire de Karim, les deux amis se sont rendus chez Nada.

« Tu imagines la tête qu'elle va faire quand elle va nous voir ? »

En effet, Nada a ouvert de grands yeux devant ces deux énergumènes qui avaient réussi à se rendre jusqu'à sa porte et qui, avec un sérieux imperturbable, lui demandaient si elle ne pourrait pas les aider à résoudre un problème de trigonométrie « vachement compliqué ».

La mère de Nada a froncé les sourcils devant l'intrusion de deux garçons dans la chambre de sa fille, mais même elle devait admettre que des circonstances exception-nelles pouvaient justifier des comportements inhabituels… et qui auraient même été fran-chement choquants en d'autres moments.

« Mais gardez la porte ouverte », a-t-elle néanmoins précisé.

Et, au milieu des blagues et des fous rires, Nada, Karim et Béchir ont parlé du problème de trigonométrie (au moins cinq secondes), des examens, des bombardements, du lycée, des copains et du printemps qui s'annonçait tout à fait raté.

Puis les garçons ont dû partir.

« Il faut qu'on soit de retour chez Béchir avant la reprise des bombardements », a cru nécessaire d'expliquer Karim.

Béchir a quitté la chambre le premier, après avoir plaqué une grosse bise sur la joue gauche de Nada.

À son tour, Karim s'est approché de Nada, qui lui a tendu sa joue.

« Ah non ! Pas comme ça, pas le jour de mes dix-sept ans ! » a protesté Karim d'une voix qu'il s'efforçait de rendre légère.

Et il a approché ses lèvres de celles de la jeune fille.

Leur baiser a été bref et maladroit. Karim, le cœur dans la gorge, s'efforçait de goûter à fond ce premier baiser… tout en gardant un œil sur la porte, où il craignait à tout moment de voir apparaître Mme Tabbara.

Nada s'est vite dégagée, rouge et un peu essoufflée.

« Ma mère pourrait nous voir. »

En partant, Karim a murmuré :

« À bientôt. »

Nada n'a pas répondu.

ﺩ ﻉ

Par la suite, Béchir et Karim sont retournés à quelques reprises chez Nada. Celle-ci ne s'étonnait plus de voir surgir les garçons à l'aube, sous les prétextes les plus farfelus.

Karim regrettait un peu la présence de son ami, qui l'empêchait de voir Nada en tête à tête, mais il savait bien que les parents de la jeune fille se seraient méfiés davantage d'un visiteur unique que de deux copains du lycée. Il se résignait donc à ne voir Nada qu'en compagnie de Béchir, mais n'en attendait qu'avec plus d'impatience la fin des bombardements et le retour à une vie normale. Une vie où il pourrait voir Nada à sa guise, et l'embrasser aussi souvent que bon lui semblerait.

Il a voulu l'embrasser à nouveau, au cours d'une autre visite, mais la jeune fille s'est dérobée.

« Eh ! Ce n'est quand même pas encore ton anniversaire ! » a-t-elle protesté en riant lorsqu'il a approché ses lèvres des siennes.

Karim s'est dit qu'elle craignait qu'on les voie, et il a prié avec encore plus de ferveur pour que les bombardements cessent et qu'il puisse enfin rencontrer Nada ailleurs que dans un appartement bondé.

Malheureusement, les bombardements ne diminuaient pas, les gens continuaient à se terrer dans les abris ou dans leurs appartements, et ceux qui prenaient le chemin de l'exil étaient de plus en plus nombreux.

Au début de juin, la famille de Béchir a fini elle aussi par se résoudre à partir pour Paris, où une cousine pouvait les héberger.

« Tu es sûr que tu ne veux pas venir avec nous, Karim ? a demandé la mère de Béchir.

— Non, a répondu le garçon. Je n'ai rien à faire à Paris.

— Tu serais en sécurité. »

Brusquement, Karim a été saisi d'une énorme colère contre tous les « partants ».

« La sécurité, la sécurité ! Tout le monde n'a que ce mot-là à la bouche. Mais à quoi ça va servir, la sécurité, quand on n'aura même plus de pays ? Tous ces départs sous prétexte de sécurité, ce n'est pas autre chose que de la lâcheté. Vous n'avez pas honte de déserter, de vous enfuir ? La ville est en ruines, oui, le pays est en ruines, mais il existe encore. À cause des gens. Le jour où il n'y aura plus personne… les Syriens vont s'installer pour de bon à l'est, les Israéliens au sud, et... pfuitt, il n'y aura plus de Beyrouth, plus de Liban, plus rien !

— Le pays aura besoin de vivants quand viendra le temps de rebâtir, a répliqué la mère de son ami. Pas de cadavres. Il y en a déjà trop. Et veux-tu me dire quelle gloire il y a à mourir enterré sous des décombres ou atteint par une balle perdue ? À mourir pour rien ?

— Je continue à penser que c'est lâche de partir. »

Mais, bien sûr, les parents de Béchir ont persisté dans leur décision de quitter le Liban. Béchir lui-même était heureux d'avoir enfin l'occasion de découvrir Paris.

« Mais je vais revenir, a-t-il précisé au moment du départ. Je vais revenir, un diplôme d'ingénieur en poche, et je vais aider à rebâtir le pays. Malgré ce que tu peux dire, je ne crois pas qu'il soit plus "patriotique" de rester que de partir. Je ne crois même pas que ce soit plus héroïque. D'ailleurs... tu es bien sûr que tu restes ici par patriotisme, et pas pour les beaux yeux de Nada ? »

Karim s'est indigné.

« Comment peux-tu dire une chose parcille ? C'est révoltant ! »

Mais Béchir l'a arrêté en lui posant une main sur l'épaule.

« Hé, ne t'excite pas comme ça. Disons que c'était une blague. Après toutes ces années, ce serait quand même bête qu'on se quitte sur une engueulade. »

Karim s'est calmé. Oui, ce serait bête. Très bête, même.

Les deux garçons se sont longuement étreints avant de se séparer.

ذ غ

À présent, en constatant le bonheur avec lequel il s'en va voir Nada, Karim se dit que Béchir n'avait peut-être pas entièrement tort. Les yeux de Nada occupent beaucoup ses pensées, ces jours-ci, plus que l'état de la ville ou du pays. Les yeux, et le corps, et les lèvres de Nada. Sans oublier son sourire, sa voix chantante, son odeur un peu sucrée.

Karim n'est plus qu'à un coin de rue de chez Nada. Il sourit en songeant qu'aujourd'hui, enfin, il va la voir en tête à tête. Peut-être même pourra-t-il l'embrasser.

À cette pensée, Karim accélère le pas.

Il tourne le coin et s'arrête aussitôt, figé d'horreur.

L'immeuble qui se dresse devant lui n'est plus qu'une carcasse éventrée, déchiquetée, qui étale avec quelque chose d'obscène l'intimité des foyers dévastés.

« Nada ! »

Le cri de Karim a jailli, irrépressible. Le nom de la jeune fille vibre un instant dans l'air avant d'être happé par le silence, un silence qui accroît encore l'angoisse du garçon.

Il court vers l'immeuble, qu'il fouille vainement des yeux à la recherche d'un signe de vie. Mais non, c'est idiot, tout le monde doit s'être réfugié dans la cave, Nada comme les autres. C'est là qu'elle doit être en ce moment, terrifiée peut-être, mais saine et sauve.

Karim cherche, parmi les décombres, l'accès à la cave. Il fouille avec fébrilité, s'énerve de ne rien trouver.

« Tu cherches quelque chose ? »

La voix, dans son dos, le fait sursauter.

Il se retourne, dévisage sans parler la fillette plantée devant lui, un bébé calé contre la hanche, un sac de toile grise sur l'épaule.

« C'est toi l'amoureux de Nada. »

Ce n'est pas une question mais une constatation.

Karim, brusquement rassuré, reconnaît le petit visage levé vers lui, les yeux démesurés, le menton pointu. C'est la jeune sœur de Nada, qu'il n'a toujours vue que de loin, dans la cour du lycée ou, ces dernières semaines, au fond de la salle de séjour des Tabbara. Comment s'appelle-t-elle, déjà ?

« Je suis Maha, annonce la fillette, qui semble avoir lu dans ses pensées.

— Où est Nada ? Dans la cave ?

— Il n'y a personne dans la cave.

— Où est Nada ?

— Elle n'est plus là. Ils l'ont emmenée.

— Qui l'a emmenée ? Et où ? Elle est blessée ?

— Non, elle est morte. »

Maha a prononcé ces mots d'un ton égal, presque indifférent. Mais le menton pointu a eu comme un tremblement.

« Je ne te crois pas », réplique Karim d'une voix brusque. Il ne veut pas la croire. Il ne faut pas qu'il la croie.

La fillette hausse les épaules et, après avoir fait demi-tour, commence à s'éloigner.

« Non ! Attends ! s'écrie-t-il, soudain affolé. Dis-moi… dis-moi… »

Il n'arrive pas à finir sa phrase.

Maha a cessé de marcher. Elle attend qu'il soit à ses côtés avant de se remettre en route. Puis, d'une voix claire et unie, sans un regard pour le grand garçon qui avance près d'elle, elle raconte.

« C'était il y a deux jours. Pendant la nuit. Les tirs étaient de plus en plus proches. Chaque fois, on croyait qu'ils allaient éclater sur nous. Alors tous les habitants de l'immeuble se sont retrouvés à la cave. Tous, même ceux qui négligeaient de le faire les autres fois. Mes parents et Nada ont entrepris de faire descendre notre tante Leïla pendant que je m'occupais de Jad. Jad, c'est lui, précise-t-elle en désignant du menton le bébé maintenant accroché à son cou. Il a six mois. Ma tante Leïla, elle était vieille, grosse et infirme. Alors, pour la faire descendre du cinquième étage… Pire que de déménager un piano ! »

Maha s'interrompt, le temps d'arrimer plus solidement Jad, qui a tendance à glisser.

« Je venais tout juste d'entrer dans l'abri quand la bombe est tombée. Il y a eu un bruit terrible, et tout s'est mis à bouger. Trois étages se sont effondrés d'un coup, pouf ! Dessous il y avait la tante Leïla, mes parents… et Nada. »

Ils s'immobilisent devant un immeuble relativement épargné. Des sacs de sable sont empilés devant les ouvertures de la cave. Une lourde porte d'acier protège l'accès de l'abri.

« Voilà, conclut Maha en ouvrant la porte d'une vigoureuse poussée. Tu sais tout, à présent. »

Machinalement, Karim la suit dans l'abri. Il se sent très fatigué tout à coup. Un peu étourdi. Vidé de toute émotion.

Il s'étonne vaguement de ne pas ressentir plus de désespoir. Nada est morte. Nada, qu'il aime, est morte. Il devrait être terrassé de douleur, secoué de sanglots. Il est au contraire très calme. Il a l'impression de flotter. Peut-être l'étrange détachement de Maha a-t-il déteint sur lui. Ou alors c'est que la mort de Nada n'a pas encore de réalité pour lui.

Il sent bien une douleur affolée lui fouiller le ventre, il sent bien quelque chose comme un vertige se creuser inexorablement en lui, mais il en prend conscience de très loin, comme si cela ne lui arrivait pas à lui mais à quelqu'un d'autre.

Soudain, des mots crachés avec hargne pénètrent le cocon d'hébétude qui l'enveloppe et se fraient un chemin jusqu'à sa conscience.

« … malheureux de voir ça. Ses parents ne sont pas encore refroidis, et la voilà déjà qui racole les garçons… Ce n'est pas sa sœur qui aurait fait une chose pareille, ça non. C'était une jeune fille bien élevée, Nada. Quel dommage que la mort l'ait frappée, elle. Alors que celle-ci… de la mauvaise graine. Je l'ai toujours dit. De la mauvaise graine. Mais la mauvaise graine a la vie dure, c'est connu. Et…

— Mais…, veut intervenir Karim.

— Tais-toi, lui souffle Maha. Ça ne vaut pas la peine. »

Et elle l'entraîne dans un coin tandis qu'une jeune femme essaie de calmer la vieille qui continue à crier ses imprécations contre Maha.

Malgré lui, Karim en saisit des bribes. « … n'a même pas pleuré… sa mère le disait bien… mal tourner… pas de cœur… »

Maha, les yeux secs, le menton relevé en signe de défi, s'occupe de faire manger Jad.

Une autre journée de rats qui commence, songe Karim qui se demande ce qu'il fait là, parmi ces inconnus. Évidemment, ç'aurait été bien différent si Nada avait été là. Nada !

Karim doit se faire violence pour réprimer le gémissement qui lui monte brusquement aux lèvres, pour stopper les larmes qui lui brûlent les yeux. Il serre les poings, crispe les paupières. Nada est morte. Morte. Il ne la verra plus. Il ne la touchera plus. Il ne l'embrassera plus. Jamais. Jamais. JAMAIS !!!

Et jamais il ne la tiendra nue contre lui.

Karim se recroqueville dans son coin. Il cache son visage dans ses bras repliés. Il pleure.

ذ ع

Il se réveille en sursaut, honteux d'avoir dormi alors que Nada…

Il se secoue, regarde autour de lui.

Ils sont une trentaine à s'entasser dans l'abri. Certains jouent aux cartes, au backgammon ou aux échecs, d'autres lisent ou tricotent, d'autres encore prient ou bavardent à voix basse.

Maha, le dos appuyé au mur, semble dormir. Elle a les yeux fermés, les sourcils froncés. Dans ses bras, Jad dort profondément, le menton barbouillé de bave.

Karim s'approche des joueurs de backgammon et observe le jeu un moment.

« Tu veux faire une partie ? lui propose l'un des joueurs.

— Pourquoi pas ? »

Et il s'installe d'un côté du jeu.

Mine de rien, au cours de la partie, les autres s'arrangent pour l'interroger.

« Ça fait du bien d'avoir un nouveau joueur. C'est rare qu'on voie des visages nouveaux, dans ce trou. Tu es un ami de la petite ?

— Non. Je connaissais Nada. Nous étions dans la même classe, au lycée. »

Les autres hochent la tête avec tristesse.

« Ah, Nada… Quel dommage, quand même, qu'elle soit morte. C'était une gentille petite. Toujours souriante, toujours aimable. Et tellement jolie…

— Pas comme sa sœur ! intervient la vieille qui semble tant en vouloir à Maha.

— Vous exagérez, Mme Farhat. Bien sûr, elle est plus difficile, mais…

— De la mauvaise graine, je vous dis ! De la mauvaise graine qui finira par mal tourner ! Heureusement qu'on va en être bientôt débarrassés !

— Débarrassés ? répète Karim. Que voulez-vous dire ?

— D'ici quelques jours, une représentante de la Croix-Rouge doit venir les chercher, elle et son frère, pour les expédier dans un orphelinat en France. Ils n'ont plus aucune famille, ici, et comme personne n'aurait l'idée saugrenue de vouloir se charger d'*elle*… S'il n'y avait que le bébé, je ne dis pas. Mais cette fille… »

Mme Farhat semble sur le point de repartir sur son sujet favori, mais l'une de ses voisines l'interrompt.

« Quand les secouristes sont venus chercher les morts et les blessés, avant-hier, ils ont aussi voulu savoir s'il y avait des orphelins. La France a envoyé deux navires-hôpitaux pour évacuer les blessés et les orphelins. Ils les embarquent jusqu'à Chypre, d'où les enfants sont envoyés en France par avion. C'est ce qui attend Maha et Jad demain ou après-demain.

— S'ils réussissent à les emmener, fait remarquer l'un des joueurs de backgammon. La petite Maha ne semblait pas particulièrement enchantée par ce projet.

— Pcuh! s'empresse de commenter Mme Farhat. Ils vont l'attacher s'il le faut, mais ils vont l'emmener. Ce serait bien le comble qu'une petite morveuse comme elle réussisse à tenir tête aux représentants d'un organisme officiel!

— N'empêche qu'elle semblait bien déterminée à résister et à se rendre plutôt chez ce vieux bonhomme qui travaillait chez eux à l'époque. Elle disait que leurs parents avaient l'intention de les envoyer tous les trois chez lui.

— Et vous croyez cette menteuse? Décidément, M. Khoury, vous êtes bien naïf! »

C'est sur ces mots que se clôt la discussion, tandis que dehors éclatent les premiers obus. L'unique ampoule du plafond vacille de façon inquiétante mais tient bon. La petite génératrice installée dans un coin ronronne toujours. D'un groupe de femmes s'élève une prière, reprise par la plupart des occupants de l'abri. «*Bismillah*... Au nom de

Dieu : celui qui fait miséricorde, le Miséri-cordieux… »

Et les heures s'écoulent, monotones. L'air est étouffant. Ça sent le kérosène, la sueur et le tabac. On entend des chansons, parfois, ou des pleurs vite réprimés. Un vieux couple regarde des photos en se remémorant des soirées depuis longtemps disparues. « Tu avais ton complet gris, celui qui te donnait un air si distingué. » « Et toi, ta robe verte et ta broche de diamants. » « Non, mon collier de perles. » « Tu crois ? » « Mais oui, regarde. Et nous avions mangé… » Dans un coin, une femme avale valium sur valium. Karim la regarde, fasciné malgré lui par la régularité du geste. Il se demande s'il ne devrait pas intervenir. Ces comprimés connaissent un succès phénoménal à Beyrouth. On peut les acheter sans ordonnance dans n'importe quelle pharmacie. Il suffit de demander et de payer.

Karim observe cette vie souterraine, tellement semblable à celle qui se déroule dans le trou qu'il a partagé avec la famille de Béchir durant des semaines, ou à celle de l'abri aménagé dans son immeuble à lui. Tout ce temps, il a conscience de Maha, qui s'est réveillée et qui s'occupe maintenant du bébé.

Elle change la couche de Jad, met de côté la couche souillée pour la rincer plus tard, puis elle fait quelques pas dans l'abri, le bébé dans les bras. Elle ne parle à personne, ne répond pas quand quelqu'un s'adresse à elle, même gentiment. Karim ne comprend pas cette obstination à se montrer désagréable. Si ce n'était la lueur de panique qu'il devine au fond des yeux de Maha, il se dirait que Mme Farhat a raison et que la fillette est dure et insensible. Mais sans doute n'est-elle que terrifiée. Et déboussolée. On le serait à moins.

Il tente de la réconforter un peu, mais ses avances ne sont pas mieux accueillies que celles des autres. Tant pis. Qu'elle se débrouille toute seule. De toute façon, il s'en va demain à l'aube. S'il faut vraiment mener une vie de rats, autant la mener dans son trou à soi.

ذ ع

Un bruit furtif le tire de son sommeil. Une souris, peut-être ? Ou un rat, un vrai rat ? Il paraît que ceux-ci ont commencé à circuler dans les décombres, même en plein jour. Un frisson de dégoût parcourt Karim, qui tente vainement de distinguer quelque chose dans le noir.

Le bruit se fait de nouveau entendre, un peu vers sa gauche. Quelqu'un – ou quelque chose – est en train de fouiller dans la réserve de provisions de l'abri.

Karim se lève silencieusement et se dirige à tâtons dans cette direction. Ses yeux s'habituant à l'obscurité, il se rend vite compte que le voleur est un humain et non une bête. Soudain, le voleur se retourne, et Karim, avec une exclamation étouffée, reconnaît Maha.

« Mais… qu'est-ce que tu fais là ? s'étonne le garçon.

— Chut ! s'empresse de souffler la fillette. Tu vas réveiller tout le monde.

— Et alors ? Pourquoi je ne réveillerais pas tout le monde ? Peut-être que ce ne serait pas une mauvaise chose qu'ils voient qui est en train de faire main basse sur leurs provisions… Tu n'as pas honte ? »

Malgré ses menaces, le garçon continue de chuchoter. Maha, elle, reprend son sac, y ajoute une miche de pain en regardant Karim droit dans les yeux puis, tirant celui-ci par la manche, retourne vers le coin où dort Jad. Elle soulève doucement son frère, en prenant bien soin de ne pas le réveiller. Elle se dirige ensuite vers la sortie, toujours suivie de Karim.

Une fois dehors, ce dernier laisse fuser les questions qui lui brûlent les lèvres :

« Veux-tu bien me dire ce que tu manigances ? Tu voles des provisions, tu vas dehors en pleine nuit... Tu es folle ou quoi ? »

Maha reste silencieuse quelques secondes. Puis elle prend une grande respiration et, les yeux plantés dans ceux de Karim, déclare :

« Je m'en vais à Chlifa. Tu peux venir si tu veux. »

Saisi, le garçon bredouille la première chose qui lui vient à l'esprit.

« Chlifa ? C'est où, ça, Chlifa ?

— De l'autre côté des montagnes, dans la Beqaa, pas très loin de Baalbek. »

Cette fois, Karim ne trouve rien à répondre. Et quand enfin il retrouve la voix, c'est pour dire :

« Tu es folle. Tu es complètement folle. »

Dans le noir, les yeux de Maha lancent des éclairs. Karim devine plus qu'il ne voit le petit menton se relever avec colère.

« Ah oui ? Je suis folle ? C'est ce qu'on va voir. »

Et, empoignant plus fermement Jad, son sac de toile passé en bandoulière, Maha commence à s'éloigner. Au bout de quelques pas, elle se retourne :

« Et quand j'y serai, à Chlifa, je t'enverrai une carte postale. Si les bombes ne t'ont pas tué d'ici là. »

Et elle se remet à marcher d'un pas décidé. Elle s'enfonce dans la nuit de Beyrouth, dans la nuit meurtrière de Beyrouth, zébrée d'obus, ponctuée de tirs de roquettes, parsemée de pièges.

« Zut ! » s'exclame tout haut Karim avant de se lancer à sa poursuite. Il n'a qu'une idée en tête, la ramener à l'abri, de gré ou de force, avant qu'il lui arrive malheur. Il l'assommera s'il le faut, ou il la traînera par ses longues tresses, mais il va la ramener. Elle est folle, elle est vraiment folle. Si encore elle se contentait d'être folle toute seule. Mais non, il faut qu'elle entraîne un bébé avec elle...

Il n'a aucun mal à la rattraper. Dès qu'il est à sa hauteur, il l'empoigne par le bras et la tire sans ménagement dans l'abri précaire formé par un pan de mur encore intact et un monticule de débris qui sert de rempart.

Quand il la lâche, elle dépose Jad par terre avant de se tourner vers Karim, les poings serrés, les yeux étincelants.

« Je n'ai pas d'ordres à recevoir de toi, m'entends-tu ? Je veux aller à Chlifa et je vais aller à Chlifa, que tu sois d'accord ou non. Tu n'es ni mon père ni mon frère, et ce n'est pas parce que tu as embrassé ma sœur que tu as des droits sur moi, compris ? Alors, retourne te cacher dans ton trou, moi je pars pour Chlifa.

— Tu ne sais même pas comment y aller.

— Ah non ? Attends, tu vas voir. »

Karim vient de changer de tactique. Il ne va pas ramener Maha de force. Il va plutôt lui prouver que son projet ne tient pas debout. Il va lui démontrer, point par point, qu'elle n'a aucune chance de se rendre à Chlifa, à supposer même qu'elle réussisse à quitter Beyrouth, ce qui est loin d'être sûr.

« Regarde ! » s'exclame Maha qui, après avoir fouillé dans son gros sac, vient d'en sortir une carte du Liban.

C'est une carte usée, froissée, déchirée le long des plis et à laquelle il manque un grand coin, en bas à gauche. Tyr a disparu, et tout le sud du pays. C'est tout juste si on aperçoit Saïda. Karim songe que cette carte reflète peut-être la réalité. Celle de maintenant ou celle à venir. Il suffirait de continuer à en arracher des morceaux. Le sud aux Israéliens. Le nord et l'est aux Syriens. Petit à petit, on continuerait à déchirer des bouts de carte, à grignoter des bouts de pays, jusqu'à ce qu'il ne reste plus que Beyrouth, acculée à la mer. Beyrouth dont il ne subsisterait que des ruines et qui finirait par disparaître aussi, balayée par le vent.

« Tu vois, continue Maha, ici c'est Beyrouth. Chlifa, c'est là, au pied du mont Liban. Je n'ai qu'à prendre vers l'est, cette route, là, qui mène à Zahlé puis…

— … puis à mourir douze fois avant d'avoir fait douze pas. Tu n'as pas l'air de te rendre compte que cette route-là, vers l'est, comme tu dis, passe droit à travers le réduit chrétien, droit à travers la région la plus durement bombardée par les Syriens. Si tu crois que la vie à Beyrouth-Ouest n'est pas drôle ces jours-ci, ma petite, ce n'est rien à côté de ce qui se passe dans ces coins-là.

— Je ne suis pas ta petite.

— Bon, d'accord, *la* petite. D'ailleurs, ça c'est le deuxième problème. Même si tu trouvais une route à peu près sûre, penses-tu vraiment que les miliciens ou les soldats syriens laisseraient circuler comme ça deux enfants sur les routes ? Tu crois vraiment qu'à tous les barrages, après les fouilles et les questions d'usage, on vous dirait : "Ah ! mais c'est parfait ! Mais oui, vous pouvez passer, après tout, des fillettes de dix ans qui promènent comme ça des bébés sur les routes en pleine guerre, quoi de plus normal…"

— J'ai douze ans ! »

Karim ne peut s'empêcher d'examiner Maha des pieds à la tête. Son incrédulité doit être visible, car la fillette, rouge de colère, et peut-être de honte, s'empresse de préciser, en redressant la taille et en gonflant la poitrine :

« Même que je vais avoir treize ans en septembre. Je suis née en 1976. Malheureusement, je ne peux pas te présenter mon certificat de naissance. À moins que tu n'aies le goût d'aller fouiller dans les décombres, là-bas.

— C'est bizarre, quand même… Il me semble que Nada, à douze ans…

— Eh oui ! Nada, à douze ans, avait des seins, et des hanches, et de grands yeux papillotants. Une vraie petite femme ! Et alors ? »

Maha a hurlé les derniers mots. Karim, mal à l'aise, voudrait la calmer.

« Écoute, ce n'est pas grave... Je suppose que le développement varie d'une fille à l'autre. Après tout, tu ne ressembles pas à Nada sur les autres points non plus.

— Sans blague, t'as remarqué... »

Le ton se veut sarcastique, mais la voix tremble un peu. Karim se rappelle les remarques de Mme Farhat, et ses comparaisons blessantes pour Maha, et il s'en veut d'avoir soulevé ce sujet pour le moins délicat. Et, d'ailleurs, comment s'est-il empêtré dans ce genre de discussion ? Il a l'impression de s'être passablement écarté de sa démonstration logique et raisonnable destinée à convaincre Maha de l'impossibilité de son projet. Il fait un effort pour y revenir.

« Et puis, tu n'es pas équipée pour faire cent cinquante kilomètres à pied, un bébé dans les bras.

— Ce n'est pas cent cinquante kilomètres, c'est à peine quatre-vingts. »

Karim explose.

« Mais arrête d'ergoter sur des détails ! Quelle importance que tu aies dix ans ou douze ans, ou que Chlifa soit à quatre-vingts ou à cent cinquante kilomètres ? C'est loin. C'est la guerre. Tu es jeune. Tu n'es pas équipée. Tu ne peux pas le faire. C.Q.F.D.

— C quoi ? »

Karim se sent soudain très las.

« Rien. Rien. »

Il tend la main vers le sac de toile que Maha porte toujours en bandoulière. Sans un mot, Maha le lui passe. Il ouvre le sac, en vide le contenu par terre. Une lampe de poche roule à ses pieds. Il la prend, l'allume, en promène le faisceau sur les objets éparpillés sur le sol. Un minuscule ourson en peluche plutôt fatigué. Une miche de pain. Un pot de confitures de pêches. Deux pommes. Quatre oranges. Des allumettes. Du lait en poudre. Une petite casserole. Une boule de verre pleine d'étoiles qui scintillent quand on l'agite. Un peigne rouge. Des bandes de tissu qu'il désigne à Maha d'un air interrogateur. « Des couches de rechange, explique-t-elle. J'en ai quatre. En les lavant au fur et à mesure, et en les laissant sécher à l'air libre, ça devrait aller. » Un pull rouge pour elle. Un pull jaune pour le bébé. Un livre de comptines dont s'échappe une photo. Karim ramasse la photo et regarde un long moment les visages souriants tournés vers lui. Nada, Maha et leurs parents, rassemblés autour du nouveau bébé qui dort à poings fermés.

L'image d'une famille heureuse. L'image de Nada heureuse.

« Je n'ai plus rien, murmure Maha à ses côtés. Je n'ai plus personne. Sauf lui, ajoute-t-elle d'une voix fervente en se penchant pour reprendre Jad. Et je ne laisserai personne me l'enlever.

— Personne n'a parlé de te l'enlever.

— Mme Farhat a dit qu'en France on nous séparerait.

— Tu sais bien que Mme Farhat te déteste. Elle dirait n'importe quoi pour te faire de la peine.

— Peux-tu me jurer qu'on ne nous séparerait pas ?

— Eh bien… »

Maha l'interrompt.

« Tu ne le sais pas. Tu ne le sais pas plus que moi. Et moi, je ne peux pas courir ce risque-là, tu comprends ? Tu as dit que j'ergotais sur des détails et que l'important c'est de savoir si je suis équipée, et par où je vais passer. Tu n'as rien compris. Rien. L'important, c'est que je n'ai plus rien à perdre. Sauf Jad. Tu dis qu'on va se faire tuer avant d'arriver à Chlifa. C'est dommage, mais tant pis. Deux morts de plus ou de moins, ça ne va pas changer grand-chose.

— Tu n'as pas le droit de dire une chose pareille ! C'est… c'est un blasphème.

— Non, c'est la vérité. Oh, ne t'en fais pas, je ne tiens pas particulièrement à mourir et je ne vais pas faire exprès pour me jeter sous les balles… Mais j'aime mieux mourir avec Jad que vivre séparée de lui. Je n'ai plus que lui, tu comprends. Et lui n'a que moi. Alors… »

Elle prend la photo des mains de Karim, la range entre les pages du petit livre puis entreprend de remettre dans le sac les objets éparpillés par terre.

Quand elle a fini, elle installe le sac commodément sur son épaule, assure Jad sur sa hanche gauche et, sans un regard pour Karim, repart dans la nuit.

Karim, les yeux rivés sur le sol, écoute le bruit de ses pas qui s'éloignent. Il perçoit le crissement du sable sous ses semelles. Il l'entend buter contre un obstacle et étouffer un petit cri de douleur.

Alors, sans hésiter davantage, il s'élance à sa suite.

« Je vais avec vous, lance-t-il d'une voix légèrement essoufflée en arrivant près d'elle. J'ai une idée sur la façon dont on pourrait sortir de la ville. Et puis… »

Il s'interrompt quand il se rend compte que Maha s'est arrêtée et qu'elle le dévisage avec une expression qu'il n'arrive pas à déchiffrer.

« Et puis…, dit-elle d'une voix neutre.

— Et puis pour commencer, passe-moi donc Jad. On pourrait le porter à tour de rôle, ce serait moins fatigant. »

Maha continue à scruter son visage dans le noir.

« C'est vrai ? C'est vraiment vrai ? demande-t-elle enfin d'une voix mal assurée, comme si elle n'osait pas encore y croire.

— Aussi vrai que vrai. »

Un lent sourire envahit alors les traits de la fillette. Un sourire qui transforme son petit visage pointu et fait briller ses yeux. Des yeux démesurément grands dans l'obscurité.

« Alors… en route, compagnon ! »

Et elle lui tend Jad, qui vient de se réveiller et qui semble accepter ce changement de porteur avec philosophie.

Quelques heures plus tard, pendant qu'ils attendent le moment propice pour franchir la Ligne verte, Karim se demande pourquoi, en dépit du bon sens, il a décidé d'accompagner Maha dans sa folle équipée.

Parce qu'il a senti le besoin de protéger la sœur et le frère de Nada ? Par réflexe de chevalier sans peur et sans reproche ? C'est peut-être l'explication la plus simple, mais elle ne le satisfait qu'à moitié.

À son grand étonnement, il se rend soudain compte que ce qui l'a décidé à partir, c'est justement le côté insensé de cette expédition par-delà le mont Liban. Une expédition qui est aux antipodes de la vie qu'il mène depuis des mois. Le contraire de la peur, des cachettes souterraines, de l'inaction. Brusquement, Karim a eu le goût de vivre, pas de végéter.

Et il n'y a plus personne pour le retenir à Beyrouth.

ذ غ

«Au fait, que vas-tu faire à Chlifa?»

Maha a un petit rire amusé.

« Je commençais à me demander si tu me poserais un jour cette question.

— Alors?

— Alors, on va chez le vieil Elias.

— Et qui est le vieil Elias? insiste Karim, qui s'amuse moins qu'elle à ce jeu de devinettes, à ces réponses données goutte à goutte.

— Un ancien employé de mes parents, à l'épicerie. Sa femme, Zahra, s'occupait de nous pendant la journée. Elle était énorme, pleine de poils et de verrues… et je l'adorais. Elle nous gavait de bonbons et de pâtisseries, Nada et moi. Elias et Zahra sont retournés dans leur village, Chlifa, il y a trois ou quatre ans. Mes parents avaient prévu nous envoyer chez eux pour quelque temps quand… quand l'immeuble s'est effondré. Mais ça ne m'empêchera pas d'y aller quand même. »

Pourquoi pas ? se dit Karim, qui commence à se faire à l'idée de traverser une partie du pays, malgré les bombes et les obstacles qui les séparent de leur but.

Chlifa se trouve sur le versant est du mont Liban, de l'autre côté, donc, de cette haute chaîne de montagnes qui s'allonge du nord au sud et qui constitue en quelque sorte la colonne vertébrale du pays. Ce sont d'ailleurs ces montagnes qui ont donné leur nom au pays tout entier. Le mot « Liban », *Loubnân* en arabe, vient du mot *leben*, qui signifie « lait » ou « blanc », et il a d'abord désigné les hauts sommets enneigés avant de s'étendre à l'ensemble du pays. Le village de Chlifa est niché à la limite de la montagne et de la Beqaa, cette longue plaine qui s'étend entre le mont Liban et l'Anti-Liban, une autre chaîne de montagnes, parallèle à la première, qui marque, à l'est, la frontière avec la Syrie.

Sur la carte que transporte Maha, rien ne semble plus facile que de se rendre à Chlifa. Malheureusement, la carte n'indique ni les zones de combat, ni les routes bloquées, ni les barrages de miliciens ou de soldats, pas plus qu'elle ne précise qui contrôle les endroits qu'ils devront traverser. Karim a l'impression qu'il y a beaucoup de chrétiens, là où ils vont passer, et il lui semble que la Beqaa elle-même est divisée entre les Syriens et les fanatiques du Hezbollah. Peut-être y trouve-t-on aussi des Iraniens. Le garçon s'en veut un peu de n'être pas plus au courant de la situation.

Mais avant d'affronter la montagne et la plaine de la Beqaa, ils doivent faire face à une difficulté plus immédiate : passer à Beyrouth-Est.

Car pour sortir de Beyrouth vers le nord, à moins de vouloir traverser la baie de Saint-Georges à la nage, il faut d'abord faire un petit crochet vers l'est, dans la zone chrétienne, et donc franchir la fameuse Ligne verte qui, depuis des années, sépare Beyrouth-Ouest de Beyrouth-Est, le secteur musulman du secteur chrétien. La Ligne verte, longue d'une quinzaine de kilomètres, n'est plus qu'un amas de ruines et de débris servant de zone tampon entre les camps. Bien qu'il existe quelques points de passage entre l'est et l'ouest – dont le passage Mathaf, que Karim et Maha ont l'intention d'emprunter –, il est particulièrement dangereux de passer d'un côté à l'autre, surtout depuis trois mois. Des tireurs embusqués ne se gênent pas pour faire feu sur tout ce qui bouge dans cet espace déserté, jonché de décombres et envahi par ces herbes folles qui lui ont valu le nom presque poétique de Ligne « verte ». Karim et Maha n'ont pourtant pas d'autre choix que de se risquer à passer du côté chrétien.

ذ غ

« Prête ? » demande enfin Karim au moment où le ciel pâlit et où le bruit des combats s'apaise.

Maha acquiesce d'un signe de tête.

« Alors, allons-y. »

Il se lève, reprend Jad dans ses bras et, Maha à ses côtés, avance vers le passage, le cœur battant, l'esprit oscillant entre la crainte d'échouer et le bonheur de vivre quelque chose de nouveau, de différent, d'exaltant.

Pourvu que ça marche, se répète Karim. Pourvu que ça marche. Il suffirait d'un rien pour tout faire rater.

Pendant la nuit, Maha et lui se sont longuement penchés sur une question capitale : valait-il mieux jouer la carte de la franchise et révéler le but de leur voyage aux miliciens qui les interrogeraient, ou était-il plus sage de leur en dire le moins possible ? Karim penchait du côté de la franchise ; Maha, elle, jugeait plus prudent de ne rien dire.

« Et comment allons-nous justifier notre passage à l'est ?

— On dira qu'on va voir un de nos oncles, le frère de notre mère.

— "Notre" mère ?

— Oui. Nous ferions mieux de nous présenter comme frère et sœur. Ainsi, nous n'éveillerons aucun soupçon. »

Aucun soupçon de quoi ? a failli demander le garçon. Tu crois vraiment qu'on pourrait nous prendre pour des espions ou pour des amants en fuite ? Mais il s'est retenu. Maha semble très chatouilleuse sur certains points, et ce n'est guère le moment de provoquer une flambée de colère.

د ع

« Quel est le nom de votre oncle ? demande à présent un milicien aux yeux soupçonneux. Et où habite-t-il ? »

Karim sent Maha se raidir à ses côtés, et il devine qu'elle va lancer un nom, n'importe lequel, pour en finir au plus vite avec cet interrogatoire. Il devine aussi que le milicien n'est pas du genre à se contenter d'un nom fictif et qu'il risque de poser d'autres questions gênantes.

« Il s'appelle Antoine Milad, s'empresse donc de répondre Karim en indiquant le nom d'un ami de son père. Je ne connais pas son adresse exacte, mais il est journaliste à *El-Amal*. Avec ce renseignement, on devrait pouvoir le trouver facilement. »

Karim espère que le milicien les laissera passer sans problème et qu'ils pourront ensuite continuer leur route comme prévu en traversant le secteur chrétien puis en franchissant le Nahr Beyrouth, le fleuve qui marque les limites administratives de la ville. Peu importe qu'ils ne connaissent pas ce secteur de la ville. Ils n'ont qu'à suivre la direction générale du nord-est et ils se retrouveront forcément à peu près où ils veulent.

Mais le milicien ne les laisse pas passer aussi facilement.

« Vous savez comment trouver les locaux du journal ?

— On va se débrouiller.

— Suivez-moi. »

Bientôt, il apparaît évident que l'homme ne les lâchera pas du côté chrétien avant d'avoir l'assurance qu'ils sont bien ceux qu'ils prétendent être et qu'ils vont réellement retrouver leur oncle journaliste.

« Avons-nous l'air si dangereux ? plaisante Karim en désignant Maha et le bébé.

— On a déjà vu des camouflages plus étranges. Attendez ici. »

Et le milicien les laisse dans une pièce nue et exiguë, où ils attendent pendant ce qui leur semble des heures.

« Qu'est-ce qu'ils font, à ton avis ? demande Maha au bout d'un moment.

— Ils cherchent Antoine Milad, je suppose.

— Est-ce qu'il existe vraiment ?

— Oui. »

Karim, narquois, répond à Maha comme celle-ci l'a fait un peu plus tôt. Au compte-gouttes.

« Et qui est Antoine Milad ?

— Un ami de mon père.

— Un chrétien ?

— Oui, bien sûr.

— Et tu as confiance ?

— On n'a pas tellement le choix.

— Mais as-tu confiance ? insiste la fillette.

— Oui.

« — Qu'est-ce qui va arriver s'ils le trouvent ?

— On va partir avec lui.

— Et s'il leur dit qu'il n'a pas de neveux ?

— Il ne dira pas ça.

— Et s'ils ne le trouvent pas ?

— Ils n'auront pas d'autre choix que de nous laisser partir quand même. »

À vrai dire, Karim est perplexe, et moins confiant qu'il n'en a l'air. Pourquoi le milicien tient-il à les garder sous surveillance ? Parce qu'il ne croit pas leur histoire et qu'il se méfie d'eux ? Pour leur rendre service ? Pour les protéger ? Pour s'assurer qu'ils seront en de bonnes mains ? Rien, dans l'attitude de cet homme, ne permet de déterminer l'intention qui l'anime. Mais, quel qu'en soit le motif, cette sollicitude embête Karim. Que va-t-il leur arriver ? Vont-ils devoir retourner dans le secteur musulman ? Vont-ils rester prisonniers à la limite des deux camps ? Il a déjà entendu parler de disparitions inexpliquées, d'enlèvements, d'exécutions sommaires. Il est facile de s'emballer et d'imaginer les pires atrocités, quand on ne comprend pas ce qui se passe.

« Il va falloir trouver une façon de faire chauffer de l'eau, annonce Maha au bout d'un moment. Jad va bientôt se mettre à réclamer son biberon. »

Un biberon ! Comme si la situation n'était pas déjà suffisamment compliquée ! Décidément, se dit Karim, je me suis fourré dans un drôle de guêpier. Tourisme en temps de guerre avec bébé glouton et fille imprévisible.

« Je te confie Jad et je pars à la recherche d'un réchaud ? propose Maha.

— Non ! s'empresse de répondre Karim. Tu restes ici avec ton frère, je cherche une solution pour le lait. »

— Tu as peur de rester seul avec un bébé ? »

Maha semble vaguement méprisante.

« Peur ? Mais non, voyons, quelle idée ! Je… enfin, il me semble que c'est mieux comme ça.

— C'est le Prophète qui a dit ça ? »

Karim se sent en terrain dangereux. Il n'a aucune envie de se lancer dans une discussion dont il ne sait trop si elle s'annonce théologique ou féministe. Aussi garde-t-il un silence prudent avant de quitter la pièce à la recherche d'un peu d'eau chaude. Dès qu'il a franchi la porte, Jad se met à hurler, et Karim se félicite d'avoir su s'échapper à temps.

ﺩ ﻉ

« Les voici », annonce une voix un peu plus tard, alors qu'ils ont fini par s'assoupir après avoir abreuvé Jad, puis changé Jad, puis rincé tant bien que mal la couche de Jad.

Karim, aussitôt réveillé, dévisage l'homme qui s'encadre dans la porte. Oui, il s'agit bien de l'ami de son père, dont il a déjà vu des photos. L'homme a vieilli, sa silhouette s'est épaissie et ses cheveux ont grisonné, mais Karim reconnaît la haute taille, le nez busqué, la cigarette au coin des lèvres.

« Oncle Antoine ! s'écrie-t-il avant que l'autre prononce des paroles qui risqueraient de les trahir. Mes parents m'ont tellement parlé de vous ! »

Le regard de l'homme se pose sur lui, et une lueur de compréhension passe dans ses yeux.

« Karim ? Tu es Karim, n'est-ce pas ? C'est incroyable comme tu ressembles à Salim ! J'ai l'impression de revenir vingt-cinq ans en arrière. Karim… Le fils de ma chère Agnès et de mon ami Salim. Mais alors, eux, ce sont…

— Maha et Jad, oui », s'empresse de le renseigner Karim.

Le garçon se sent soulagé. Antoine Milad est là, il a saisi la situation en un clin d'œil, il ne les trahira pas.

« Depuis la mort de nos parents, vous êtes la seule famille qu'il nous reste. Maman disait toujours : "Si jamais il nous arrivait quelque chose, allez voir mon frère Antoine. Il s'occupera de vous." »

L'homme qui se trouve devant eux vacille comme sous l'effet d'un choc. Il ferme les yeux en balbutiant :

« Morts ? Agnès et Salim sont morts ? C'est affreux. Oh ! mon Dieu ! c'est affreux ! »

Le milicien, un peu en retrait, a observé toute la scène.

« Bon, si tout est réglé, vous pouvez partir. »

ذ ع

« Et maintenant », déclare Antoine Milad une fois qu'ils sont tous casés dans sa voiture, une voiture verte passablement malmenée par la vie, « si vous m'expliquiez ce qui se passe… Et d'abord, qu'est-ce que c'est que cette histoire de Salim et Agnès qui viennent de mourir ? J'ai parlé à Salim il y a deux jours au téléphone, et il était à Montréal, à l'abri de tout danger. En fait, sa plus grande inquiétude, c'est de te savoir seul à Beyrouth, jeune homme. Il craint qu'il ne t'arrive malheur. Qu'est-ce que ce serait s'il savait que tu t'amuses à traverser la Ligne verte et que tu te balades dans la ville en compagnie d'une petite fille et d'un bébé…

— Je ne suis pas une petite fille ! » proteste Maha d'un air buté.

Antoine Milad lui jette un regard rapide.

« Peut-être pas, concède-t-il. Disons que je réserve mon jugement pour l'instant. Mais j'aimerais bien savoir d'où tu sors et ce que vous faites ici tous les trois.

— Eh bien…, commence Karim d'une voix lente.

— Et puis non, reprend aussitôt Antoine Milad. Ne te lance pas tout de suite dans des explications sûrement très compliquées. Attendons plutôt d'être chez moi. Quand j'aurai ingurgité un ou deux cafés bien tassés, je risque de comprendre un peu mieux. »

ذ ع

« Vous voulez du café, les enfants ? Ou du jus d'orange ? À condition bien sûr que j'aie du jus d'orange. Attendez voir… Oui, bon. Il n'est peut-être pas de toute première fraîcheur, mais il semble à peu près de la bonne couleur. Et le bébé, lui ? Qu'est-ce que ça boit, un bébé ? Du lait ? Je ne suis pas sûr d'avoir du lait. De la crème, oui, un fond, mais du lait ?

— Il a bu il n'y a pas longtemps, dit Maha. Et, de toute façon, j'ai du lait en poudre pour lui. Il suffit d'ajouter de l'eau bouillie puis refroidie.

— Vive le progrès. Bon, puisque la question du lait est réglée, contentons-nous de récapituler. Tu t'appelles Maya, et lui il s'appelle Jad.

— Maha, rectifie l'intéressée.

— Pardon. Maha. Et, Maha, puis-je savoir qui tu es au juste et ce que tu fais dans le décor ? Agnès et Salim n'ont jamais eu de fille, que je sache, et le bébé de la famille doit avoir dans les six ans.

— Huit, précise Karim.

— Huit, donc. Raison de plus pour que ce ne soit pas ce petit bonhomme qui me semble bien jeune. Mais revenons à… »

Maha interrompt le flot de paroles.

«Je m'en vais à Chlifa avec Jad. Karim nous accompagne. Ce ne sont pas ses parents à lui qui sont morts, ce sont les nôtres.»

Antoine Milad, pour une fois, semble à court de mots.

Il se verse un café épais et fumant, leur sert du jus d'orange, allume une cigarette.

Puis il se racle la gorge deux ou trois fois avant de se remettre à parler.

«Je suis désolé pour tes parents. C'est tellement tragique, tragique et absurde, toutes ces morts, toutes ces morts inutiles, anonymes, vides de sens…»

Il secoue la tête d'un air impuissant.

«Et moi? demande-t-il après avoir vidé la moitié de son café. Qu'est-ce que je peux faire pour vous aider?

— Rien, répond sèchement Maha. Nous n'avions même pas l'intention de vous voir. Sans ce milicien qui a décidé de faire du zèle, nous serions déjà loin. D'ailleurs, nous allons repartir dès que nous aurons fini nos jus d'orange.

— Holà! Qu'est-ce que j'ai bien pu dire qui te mette dans cet état-là? Repartir tout de suite? Tu n'y penses pas. Vous êtes morts de fatigue. Tu as du mal à garder les yeux ouverts, et quelques heures de sommeil ne feraient pas de tort non plus à Karim. D'ailleurs, où iriez-vous ? Les bombardements vont reprendre d'un instant à l'autre.

— Ne vous inquiétez pas pour nous. Nous allons très bien nous débrouiller, déclare fièrement Maha. Nous avons beaucoup de résistance, vous savez. »

Mais toute sa personne dément ses paroles. Elle est frêle et pâle. Ses yeux sont cernés, et, comme l'a dit Antoine Milad, elle a du mal à les garder ouverts. Karim se dit qu'ils ne seraient guère avancés si elle tombait d'épuisement au bout d'une demi-heure. Aussi décide-t-il d'intervenir :

« Il a raison, Maha. Reposons-nous quelques heures puis nous partirons. »

Maha hésite. Manifestement, elle n'a pas confiance en Milad. Elle entraîne Karim dans un coin.

« Tu me jures qu'on va partir tout de suite après ?

— Je te le jure.

— Tu me jures que tu ne vas pas le laisser te convaincre que nous ne sommes que des gamins capricieux et que notre entreprise ne tient pas debout ?

— C'est un fait que notre entreprise ne tient pas debout. Mais ça ne nous empêchera pas de partir.

— Tu le jures ? insiste Maha.

— Je le jure.

— Sur la tête de Mahomet, de Jésus et de tous les prophètes ?

— Je le jure, ça devrait suffire. Pas besoin de blasphémer. »

Maha lève les yeux au ciel.

« Tu es bien comme Nada, toi. Elle voyait des blasphèmes partout. »

Nada. Encore ce coup au cœur. Karim se sent soudain exténué. Décidément, les discussions et les chamailleries avec Maha l'épuisent.

« Allez, dodo, fillette.

— Cesse de m'appeler fillette.

— Alors, dodo, grand-mère. Et plus vite que ça ! »

Maha lui tire la langue.

L'après-midi s'achève. Assis devant sa vieille Remington, Antoine Milad mâchouille une cigarette en réfléchissant à la suite de son article. Un article qui ne sera probablement pas publié, puisque les journaux ne paraissent que de façon très sporadique, mais demander à Antoine Milad de cesser d'écrire, ce serait comme de lui demander de cesser de respirer… ou de fumer.

« Qu'est-ce que c'est ? » demande soudain dans son dos la voix de Maha.

Elle est pieds nus, ce qui explique qu'il n'ait pas entendu son pas sur le carrelage. Ses nattes sont à moitié dénouées, et elle semble encore toute chaude de sommeil. Elle a l'air vulnérable de qui vient de se réveiller, et le journaliste maudit une fois de plus cette guerre qui rend les enfants orphelins.

La fillette est absorbée dans la contemplation d'une carte postale épinglée au mur. Une dame richement vêtue d'une longue robe dorée joue d'un orgue miniature, posé sur un meuble recouvert d'un tapis. De l'autre côté de l'orgue, une deuxième dame, plus petite, tient quelque chose qui est peut-être un livre de musique, ou un soufflet. Les deux dames, entourées d'un lion, d'une licorne et de plusieurs petits animaux, sont sur un îlot de verdure qui fait comme un tapis très doux, semé d'une multitude de fleurs de toutes les couleurs. Le fond du tableau est rouge ; il est lui aussi parsemé de fleurs et de tiges.

« C'est une des tapisseries de *La Dame à la licorne*. Ça te plaît ? »

Sans répondre, Maha hoche la tête. Elle ne quitte pas des yeux cette image qui semble la fasciner. Elle en examine le moindre détail. Le chapeau un peu bizarre de la dame. Sa robe ornée de bijoux. Sa beauté pâle et pensive. Les fruits et les fleurs du paysage. Les petits lapins. Le renard. Et la licorne. Une licorne un peu triste, avec sa tête tournée en direction des deux dames, sa longue corne torsadée, son œil légèrement tombant…

« Il y a plusieurs tapisseries dans la même série, exposées au musée de Cluny, à Paris. Elles ont été tissées il y a environ cinq cents ans. »

Maha continue à fixer l'image comme si elle voulait en graver tous les détails dans sa mémoire. Après un long moment, elle se met à parler d'une voix douce et pensive, une voix que le journaliste ne lui a pas encore entendue.

« C'est comme un rêve. Comme si, depuis toujours, j'essayais de retrouver un rêve perdu, mais qu'il m'échappait toujours. Et puis, tout à coup, le rêve est devant moi, plus beau encore que ce que j'avais imaginé. Un rêve où les gens et les bêtes peuvent rester ensemble, immobiles, dans un champ de fleurs, *sans avoir peur*. Un jour, je vivrai dans un endroit comme ça. »

Elle tourne la tête et regarde le journaliste.

« Et ce jour-là, dit-elle d'une voix pleine de ferveur, ce jour-là, ce sera la paix. »

Antoine Milad n'a pas le cœur de lui dire que la paix n'a pas toujours cet aspect idyllique, qu'elle est rarement pure et sans mélange.

Il tire légèrement l'une des nattes de Maha pour secouer l'émotion qui lui serre brusquement la gorge.

« La prochaine fois que je rencontre une licorne, fillette, je te promets de te la ramener. »

Maha sourit un peu, puis elle secoue la tête.

« Non. Les licornes, c'est fragile, il faut leur laisser leur liberté.

— Mais de quoi vous parlez ? s'étonne Karim, qui vient d'entrer dans la pièce et qui a du mal à inclure les licornes dans ses préoccupations du moment.

— De licornes et de paix.

— Autrement dit de chimères et d'élucubrations farfelues, fait remarquer Karim.

— Ce ne sont pas des élucubrations, réplique Maha avec véhémence. Ça existe. Ce n'est pas parce que la guerre dure depuis quatorze ans que la paix n'existe pas. Avant…

— Ah non ! gémit Karim. Tu ne vas pas toi aussi te mettre à parler d'avant. Avant, avant, avant… Les vieux n'ont que ce mot-là à la bouche. Avant, c'était le paradis. Le

Liban, c'était "la Suisse du Moyen-Orient". Beyrouth, c'était un lieu de paix, d'échange, de tolérance, de prospérité économique et intellectuelle. Tout le monde s'aimait, les races et les religions cohabitaient dans l'harmonie et le respect. Tout ça dans le pays le plus beau du monde : la mer toujours présente, la montagne juste à côté, un climat enchanteur, des paysages à couper le souffle, des sites archéologiques et touristiques à la pelle, une lumière chantée par les poètes et les artistes de tous les temps… Le problème, c'est que nous, les jeunes, on n'a pas connu cet "avant". On n'a connu que l'"après", qui est loin d'être beau. Ce que je n'arrive pas à comprendre, c'est comment ce paradis a basculé si vite dans l'enfer. »

Karim regarde Antoine Milad comme s'il le tenait personnellement responsable de la guerre et de ses atrocités.

Milad fourrage à deux mains dans ses cheveux avant d'allumer une autre de ses éternelles cigarettes.

« La réponse n'est pas simple, finit-il par répondre d'une voix grave. Si elle l'était, tout se serait réglé rapidement, et nous ne nous enliserions pas dans cette guerre sans fin. Mais une chose est sûre, c'est que le paradis qui nourrit les nostalgies d'à peu près tout le monde n'était qu'un paradis factice. Ce paradis-là, seuls les Beyrouthins aisés et cultivés l'ont connu, qu'ils soient chrétiens ou musulmans. Et, sous cette surface paradisiaque, les problèmes couvaient et ne pouvaient que finir par éclater. Les tensions n'étaient pas seulement entre les chrétiens et les musulmans, mais entre les riches et les pauvres, la droite et la gauche, les gens des villes et les gens des campagnes… Il y avait des tiraillements un peu partout et de tous les côtés. Et quand les premiers événements ont éclaté, ça a lâché de partout. Mais ce n'était pas entièrement imprévisible.

— Pourtant, tout le monde semble vouloir que ça redevienne comme avant.

— Au début de la guerre, dans les premières années, oui, j'ai l'impression que beaucoup de gens vivaient en attendant que ça redevienne comme avant. Comme si la guerre n'était qu'une parenthèse dans le cours de la vie. Comme si le temps était en suspens. On attendait que la guerre finisse, et on avait l'impression qu'alors la vie reprendrait où on l'avait laissée. Et puis, avec le temps, dans la vie de chacun, il s'est passé quelque chose qui a changé cette vision un peu facile des choses. Une mort de trop. Un réveil trop brutal, un matin. On continue à parler d'avant, mais en sachant très bien que ça ne reviendra jamais. Que notre vie, nous l'épuisons chaque jour au cœur de ce conflit. Que l'avenir est commencé depuis longtemps. Que… »

Milad s'arrête et regarde ses mains. Puis il plante son regard dans celui de Karim.

« Tu as raison d'en vouloir aux vieux, de nous en vouloir. Vous, les jeunes, vous n'avez même pas les bons souvenirs. Vous ne connaissez du monde que l'horreur ou – pire, peut-être – la banalité de la guerre. On vous a légué un monde sans espoir, sans avenir. Vous ne pouvez que mourir, brutalement ou à petit feu. Même ceux qui se battent ne savent pas pourquoi, la plupart du temps.

— Peut-être pour se prouver qu'ils existent, murmure Karim. Pour avoir la satisfaction de faire quelque chose. Il y a des jours où tout semble tellement irréel. »

Milad fait rouler sa cigarette entre ses doigts avant de continuer.

« Pendant longtemps, j'ai cru à la nécessité de rester, de résister en restant, dit-il. De montrer au monde qu'on est là et qu'on ne disparaîtra pas sans rien dire. À présent, je ne sais plus. De toute façon, le monde nous a oubliés. Les guerres qui s'éternisent, ça n'intéresse personne. On refait les manchettes, de temps en temps, quand quelque chose de vraiment "juteux" se produit. Quand les 241 marines américains et les 88 parachutistes français ont été tués. Quand il y a beaucoup de morts et beaucoup de sang d'un coup. Quand ça fait des images "palpitantes" à montrer à la télévision. Le reste du temps, on nous oublie. Dans de telles conditions, qui se soucie encore qu'on reste ou qu'on parte ? »

Karim ne répond pas. Il se souvient de ce qu'il a répondu à la mère de Béchir, il se souvient de sa colère contre les partants, les lâches, les déserteurs. Il n'arrive plus à retrouver cette colère.

Maha, elle, se désintéresse de la conversation depuis un moment. Elle se promène dans la pièce en examinant les livres, les affiches, les objets parfois inattendus qui jonchent la table de travail du journaliste. Des bibelots, des dessins, un paquet d'allumettes, un vieux menu au dos duquel est griffonné un bout de phrase, un coupe-ongles, un paquet de biscuits, une demi-douzaine de cendriers plus ou moins propres.

« Vous êtes sûrs de ne pas vouloir rester ici avec moi ? demande soudain Antoine Milad. Ou alors que je fasse des pieds et des mains pour vous expédier à Montréal, auprès des parents de Karim ? Ce n'est pas que je veuille me mêler de vos affaires, mais je me sens un peu responsable de vous, et ça m'inquiète de vous laisser partir sans trop savoir ce que vous avez l'intention de faire. Toi, fillette, où as-tu dit que vous vouliez aller, déjà ? »

Maha reste silencieuse un moment, puis, après avoir consulté Karim du regard, elle expose le but de leur voyage au journaliste.

« Chlifa, Chlifa, ça me dit quelque chose. Est-ce que ce n'est pas du côté de la Beqaa ?

— Oui, pas trop loin de Baalbek.

— Je suis déjà passé par là, il y a longtemps. Avec ton père, précise-t-il à l'intention de Karim. L'été où nous avons sillonné le pays à pied pendant trois mois. Ce devait être en 1965, oui, en 1965. Nous avions dix-huit ans et nous découvrions le monde. J'ai l'impression que ça fait des siècles… J'ai des photos de cet été-là, que je devrais pouvoir déterrer sans trop de problèmes. Ça vous intéresse ?

— Oui », dit Karim, curieux de découvrir une facette de son père qu'il ne connaissait pas.

Maha ne répond pas. Après la séance de photos, ce sera quoi ? Le déballage de jouets pour bébé ? la partie de backgammon ? la visite à la vieille mère d'Antoine Milad ? À ce rythme-là, ils ne sont pas près d'arriver à Chlifa.

Mais la séance de photos se révèle plus fructueuse que Maha ne l'aurait cru. Car avec les photos surgissent aussi les cartes, les guides de voyage, le journal tenu par Antoine Milad pendant ces trois mois… et les souvenirs.

« Mais bon sang ! s'exclame soudain le journaliste. Je sais quelle serait pour vous la meilleure route pour Chlifa ! Comment n'y ai-je pas pensé plus tôt ? Les enfants, ça vous dirait, une véritable excursion en pleine nature, loin des routes et des dangers qu'elles représentent ? Parce que je connais un sentier en pleine montagne qui relie le versant ouest et le versant est du mont Liban… et qui aboutit à quelques kilomètres de Chlifa. Ainsi, vous éviteriez les routes, oui, mais aussi les abords immédiats de Baalbek, qui ne sont pas trop sûrs par les temps qui

courent. D'ailleurs, *toute* la Beqaa est dange-
reuse… et, si vous passez par où je pense,
vous éviterez d'avoir à vous y promener
avant d'arriver à Chlifa. »

Et il entreprend sur-le-champ de tracer
leur itinéraire sur une carte à très grande
échelle.

Karim et Maha échangent des regards
perplexes. Karim est partagé entre la vexation
de voir cet homme tout décider à leur place
sans même leur demander leur avis et l'exal-
tation que lui procure la perspective de cette
expédition en pleine nature. Sans oublier le
fait qu'il revivrait ainsi l'aventure vécue par
son père près de vingt-cinq ans plus tôt. Ce
serait une façon de se rapprocher de lui, par-
delà les années et les continents.

«Le mieux, ce serait d'éviter toutes les
routes. Ici, vous pourriez suivre le cours du
Nahr el-Kelb, là, la base du massif monta-
gneux… Il suffit que vous ayez de quoi
subsister pendant trois ou quatre jours, met-
tons cinq pour plus de sûreté. Ça ne devrait
pas poser de problèmes… »

L'enthousiasme d'Antoine Milad est
contagieux, et, bientôt, toutes réserves disparues, Karim et Maha se passionnent eux aussi
pour l'aventure qui les attend.

« Mes enfants, s'il n'y avait pas ma vieille mère que je ne peux vraiment pas abandonner en ce moment, je crois bien que j'irais avec vous. Enfin... je devrai me contenter de vous faire faire la première partie du trajet. Demain matin, à l'aube, je vais vous conduire en voiture jusqu'au Nahr el-Kelb. C'est la partie du trajet qui risque d'être la plus épineuse. Sortir de Beyrouth, passer un tas de barrages, traverser de nombreuses agglomérations... Vous n'y arriverez jamais seuls, ou alors au prix d'incroyables ennuis. Mieux vaut que vous soyez avec moi. On va conserver l'histoire des neveux, et je dirai que je vous conduis à Jounié, chez une cousine. Bon, d'ici là, je m'occupe de vous procurer des vivres et des vêtements chauds – les nuits en montagne peuvent être fraîches, en juin. Quant à vous, dodo.

— Encore ! protestent en chœur Karim et Maha.

— Vous ne prendrez jamais trop de repos avant d'entreprendre une expédition comme celle-là. »

C'est l'aube, une fois de plus. Une aube pâle mais pleine de promesses. Jad s'est réveillé à l'heure où les combats s'apaisaient, et aussitôt, vive et silencieuse, Maha s'est occupée de lui. Karim s'aperçoit qu'il guette ses mouvements précis et efficaces, qu'il l'observe avec une attention passionnée.

« Est-ce que Nada prenait soin de Jad, elle aussi ? demande brusquement le garçon, qui se rend compte, avec quelque chose qui ressemble à de la panique, que l'image de Nada commence à s'estomper pour lui et que certains aspects de la jeune fille lui resteront à jamais inconnus.

— Pas tellement, non, répond Maha d'une voix brève. L'odeur du lait et du caca lui levait le cœur, paraît-il. Alors, s'occuper d'un bébé… »

Elle laisse sa phrase en suspens, vérifie la température du lait qu'elle vient de faire chauffer, cale le bébé au creux de son bras et approche le biberon de la bouche avide. Puis elle lève les yeux vers Karim qui la regarde toujours.

« Tu sais, peut-être que tu ne connaissais pas Nada aussi bien que tu le croyais. Je veux dire… »

Karim ne la laisse pas terminer.

« Je vais vérifier le matériel. »

Il s'éloigne. Il n'est pas prêt à entendre parler de Nada. Pas encore. Peut-être jamais.

ذ ع

Sacs à dos de grosse toile, petite tente, réchaud, ustensiles, couvertures, boussole, boîtes de thon, sachets de soupe, cartes, lait en poudre pour bébé, savon, dentifrice, un gros paquet de dattes… En découvrant ce qu'Antoine Milad a réussi à dénicher, Karim éclate de rire :

« Ça tient plus du camp scout que de la marche de réfugiés, vous ne trouvez pas ?

« — Si seulement c'était cela... Mais avant le camp scout, il va falloir passer par la course d'obstacles que constitue la sortie de la ville. Maha et Jad sont prêts ?

— Oui, répond Maha de la porte. Il ne me reste plus qu'à enfiler un chausson à Jad. »

Une fois les bagages casés, ils s'installent à leur tour dans la voiture de Milad, qui démarre rapidement et prend la direction du port.

« J'espère seulement que l'avenue Charles-Hélou est encore praticable, grommelle Milad entre ses dents. Cette ville, c'est vraiment le contraire de la monotonie et des habitudes pépères. Un matin, on emprunte une rue ; le lendemain, elle disparaît sous les décombres ou alors elle est coupée par le trou béant laissé par une bombe. Et, chaque jour, on découvre de nouveaux barrages, de nouveaux détours, de nouvelles carcasses de voitures calcinées. Des rues qu'on croyait sûres sont à présent de véritables champs de tir. Le moindre déplacement est riche en émotions et en péripéties. »

Karim regarde de tous ses yeux ces rues nouvelles pour lui, et les rares passants qui s'y pressent. Comme la veille, il est frappé

par la similitude avec Beyrouth-Ouest. Simi-
litude dans le délabrement, dans l'éclatement.
Mais, en même temps, il se sent désorienté.
Il lui manque ses points de repère habituels.
Il sait dans quelle direction avance la voiture,
mais il ne le sent pas.

« Qu'est-ce que ça va être quand on va se
trouver en terrain complètement inconnu ?
songe-t-il avec un peu d'appréhension. Non,
pas complètement inconnu, corrige-t-il aussitôt. Mon père est déjà passé par là. »

Et une émotion nouvelle le transperce.
Un mélange de nostalgie, d'amour, de fierté,
de sentimentalisme un peu bête. Marcher
sur les traces de son père, suivre les chemins
de la mémoire, annihiler le temps et l'espace… Il cherche la formule qui décrirait ce
que représente pour lui cette traversée, ce
pèlerinage. Mais il ne trouve pas les mots
qu'il faut. Il reste à la lisière de ce qu'il veut
dire, à la lisière de ce qu'il ressent. Et il en
conçoit un peu de tristesse.

Bientôt, cependant, ses pensées se tournent vers le premier obstacle véritable qui se
dresse sur leur route : un barrage de miliciens.
Quelques voitures sont déjà en file devant
eux. Il faut attendre.

Des miliciens interrogent les uns après les autres les conducteurs, vérifient les papiers, fouillent les coffres. Le rituel est le même d'un côté ou de l'autre de la Ligne verte. Et l'amabilité semble aussi inconnue d'un côté que de l'autre.

Leur tour arrive. Milad exhibe ses papiers ainsi que sa carte de journaliste, qui lui ouvre beaucoup de portes et accélère généralement les formalités. Puis il désigne du pouce ses passagers :

« Mes neveux. Leurs parents sont morts il y a trois jours, et j'ai décidé de les conduire à Jounié, chez une cousine. »

Les miliciens effleurent du regard les adolescents silencieux et le bébé qui dort en ronflant doucement.

« Vous pouvez passer. Mais ne prenez pas le viaduc. Il n'est pas sûr. Prenez plutôt la rue En-Nahr. »

Milad démarre en ronchonnant. La rue En-Nahr, ça veut dire traverser encore des quartiers populeux, suivre des rues encombrées de débris, risquer d'avoir à faire des tas de détours. Il aurait préféré se retrouver tout de suite sur l'autoroute longeant le littoral.

Ils arrivent au Nahr Beyrouth, le fleuve qui marque la limite de la ville. Là encore, un barrage retarde la circulation.

Les miliciens prennent leur temps. À eux aussi Milad raconte l'histoire de la cousine de Jounié.

Pourquoi on ne leur dit pas la vérité ? se demande soudain Karim. Qu'y a-t-il de si terrible à vouloir aller à Chlifa ? Ils nous laisseraient passer tout autant.

Mais peut-être Antoine Milad prend-il plaisir à cette affabulation qui ajoute du mystère à leur périple. Et une atmosphère de danger.

« Ce qui m'embête, leur a dit Milad la veille, c'est que vous allez vous balader à peu près tout le temps à la limite des secteurs chrétien et syrien. Je ne sais pas comment ça se traduit, en pleine campagne. Je ne sais pas si vous pouvez vous permettre d'être vus et identifiés. Le mieux, ce serait encore que vous passiez par des chemins déserts, que vous ne suiviez pas de routes importantes, que vous évitiez les villages et les fermes. Suivez le cours du Nahr el-Kelb, le pied des montagnes, coupez à travers champs. La nature sera toujours plus clémente que les humains. »

Voilà sans doute pourquoi Milad a inventé cette histoire de cousine à Jounié. Pour les dissimuler aux autres. Pour qu'ils disparaissent réellement en pleine nature.

Les miliciens les laissent enfin passer, et la voiture franchit le Nahr Beyrouth. Ils se retrouvent dans un quartier que Milad connaît mal, et ils mettent du temps à rejoindre l'autoroute pourtant proche.

Une fois sur l'autoroute, ils avancent un peu plus vite. Karim s'étonne de voir autant d'habitations, autant de maisons tassées entre route et colline.

« C'est laid, déclare soudain Maha d'une voix où se mêlent le mépris et la déception. Je croyais qu'en sortant de la ville on trouverait la campagne. Des champs, des fleurs, des vergers, des arbres qui grimpent doucement au flanc des montagnes. Mais tout ce qu'il y a, c'est du béton.

— Quand j'étais enfant, répond Milad, la route du littoral se trouvait vraiment entre mer et montagne. Et puis, il y a eu un développement sauvage de la côte. C'était à qui construirait l'hôtel le plus luxueux, l'immeuble le plus gros. Les habitations sont montées à l'assaut de la montagne… et ça donne les horreurs que tu vois maintenant.

Évidemment, les années de guerre et d'abandon n'ont pas arrangé les choses.

— Oui, mais cette lumière, murmure Karim en désignant de la main le ciel immense qui semble déborder à gauche. Cette lumière…

— Oui, il reste la lumière, concède Milad. Et aussi quelques coups d'œil qui en valent la peine, ajoute-t-il au moment où la voiture pénètre dans un tunnel percé au cœur d'un éperon rocheux s'avançant dans la mer. Regardez. »

Dès la sortie du tunnel, Milad quitte l'autoroute et fait une centaine de mètres sur une petite route qui s'étend vers la droite. Puis il gare la voiture sur le côté et fait signe aux passagers de descendre.

« Le Nahr el-Kelb, annonce-t-il avec fierté en désignant le cours d'eau qui s'affole au fond d'une gorge profonde. Les Anciens l'appelaient le Lycus. Ça vous dit quelque chose ? »

Ses jeunes compagnons avouent leur ignorance, en espérant que le journaliste ne se lancera pas dans trop d'explications historiques.

« Le Nahr el-Kelb, répète cependant Maha. Le fleuve du Chien. Pourquoi s'appelle-t-il ainsi ?

— On raconte qu'autrefois il y avait là une statue de chien qui hurlait si fort, à l'approche de l'ennemi, qu'on l'entendait à des lieues à la ronde. Mais certains esprits scientifiques et prosaïques soutiennent que les hurlements n'étaient que ceux du vent qui soufflait dans les fissures du promontoire rocheux.

— Et ces espèces de monuments, là-bas, c'est quoi ? veut savoir Karim.

— Des stèles commémoratives. Quand j'étais enfant, il ne se passait pas une année sans qu'on nous amène ici en excursion. Mes copains et moi, nous adorions courir partout, et dévaler les pentes abruptes jusqu'à l'eau… Malheureusement, nos maîtres ne nous conduisaient pas ici pour le plaisir, mais pour la culture. Ce lieu historique, important pour des tas de raisons que je vais vous épargner, comporte dix-sept stèles commémorant des passages, des victoires, des événements s'étalant sur plus de trois mille ans. On y trouve des stèles égyptiennes, assyriennes, des inscriptions latines, grecques, arabes, françaises, anglaises. La stèle la plus ancienne remonte à Ramsès II, au treizième siècle avant Jésus-Christ ; la plus récente, à l'évacuation du Liban par les troupes françaises en 1946... »

Tous ces gens, songe Karim. Tous ces gens qui sont passés par ici. Les célèbres, oui, mais aussi mon père, qui n'a laissé aucune stèle, aucune trace de son passage. Et à présent, c'est à notre tour. Nous allons suivre le Nahr el-Kelb, nous allons nous enfoncer dans toute cette verdure, le long de cette faille étroite au fond de laquelle coule un mince cours d'eau portant le nom grandiloquent de fleuve.

ذ ع

Ils ont marché jusqu'à un pont au cœur de la verdure, un vieux pont arabe qui trace un arc gracieux au-dessus du Nahr el-Kelb. Ils ont décidé de prendre une dernière bouchée ensemble avant de se séparer, avant que Milad reparte vers Beyrouth et qu'eux entreprennent leur longue route vers Chlifa.

Après le goûter, Milad serre Karim avec force contre lui. Il embrasse Maha sur le front.

« Adieu, mes enfants. Bon courage et bonne route. »

Aucun des deux ne songerait à s'offusquer de ce « mes enfants », pas même Maha qui, la veille, s'est pourtant rebiffée en se faisant traiter de petite fille. Karim est étrangement ému de quitter cet homme que, deux jours plus tôt, il ne connaissait encore que de nom. Quant à Maha, elle a la main crispée sur la carte postale de la Dame à la licorne que lui a donnée Antoine Milad.

« En attendant de trouver ton rêve, ma belle », a simplement dit Milad en la lui tendant. Et les yeux de Maha se sont remplis de larmes.

Les adolescents ont arrimé leurs sacs sur leurs épaules. Jad, entortillé dans un grand châle, est solidement attaché à la poitrine de Karim.

« Je vais vous regarder partir », indique Milad d'une voix brusque.

Maha et Karim traversent le vieux pont puis, sans un regard en arrière, ils tournent à droite et s'éloignent le long de la crête qui surplombe la gorge du Nahr el-Kelb. La végétation est si dense qu'Antoine Milad les perd bientôt de vue.

« Que Dieu vous protège », murmure-t-il avant de s'éloigner à son tour.

Ils marchent d'abord d'un pas vif, comme habités d'un sentiment d'urgence, tendus vers le but lointain qu'ils se sont fixé et qu'ils semblent vouloir atteindre le plus vite possible.

Le soleil, déjà haut dans le ciel, tape durement sur les jeunes épaules tendues sous les courroies des sacs à dos.

Les marcheurs s'enfoncent dans un paysage qui s'écarte peu à peu devant eux. Ils sont enveloppés de silence, assaillis d'odeurs inconnues. Des odeurs de terre, d'eau, de fleurs et d'arbres. Des odeurs de paix, songe Karim en respirant à pleins poumons. La stridulation d'un grillon perce soudain le silence, et Maha s'arrête, ravie.

« Je crois bien que c'est la première fois que j'en entends un pour de vrai.

— Évidemment, ça repose du sifflement des balles.

— On vient à peine de partir, et ça semble déjà si loin… »

Le terrain, qui monte doucement mais régulièrement, est cahoteux, parsemé de pierres, de hautes herbes, de trous et de bosses qui rendent la progression difficile. Les sacs lourdement chargés ne facilitent pas non plus la tâche à Karim et Maha, qui n'ont pas l'habitude d'un tel effort. Au bout d'un moment, ils éprouvent des tiraillements dans les mollets, les cuisses et le dos. Leur respiration s'accélère, ils sentent leur cœur qui bat jusque dans leur tête, jusque dans le bout de leurs doigts.

« À ce rythme-là, on ne tiendra pas le coup très longtemps, laisse soudain tomber Maha d'une voix essoufflée.

— Ou on est bons pour les Jeux olympiques.

— On s'arrête un peu ?

— Si tu n'en peux vraiment plus, on va s'arrêter, c'est sûr. Mais j'avais plutôt pensé faire une pause à la grotte de Jeita, qui ne devrait plus être très loin. C'était un lieu particulièrement couru des touristes.

— Parce qu'on fait du tourisme, à présent ? demande Maha d'une voix railleuse.

— C'est ce qu'on appelle joindre l'utile à l'agréable », répond Karim d'un ton sentencieux.

Maha lève les yeux au ciel.

« Allons-y pour le tourisme », soupire-t-elle.

ﺩ ﻉ

Un peu plus tard, assise non loin de la grotte, les deux pieds dans l'eau glacée du Nahr el-Kelb, Maha admet que le tourisme a du bon.

« Et du moins bon », ajoute-t-elle avec un coup d'œil aux installations touristiques abandonnées et aux grilles solides qui bloquent l'accès à la grotte – ou plutôt aux grottes, puisqu'il s'agit d'une grotte à deux étages, l'étage inférieur servant de passage à une rivière, le principal constituant du Nahr el-Kelb, s'il faut en croire le guide touristique que leur a donné Antoine Milad. « Moi qui espérais voir enfin des stalactites et des stalagmites. Depuis que je suis toute petite que je rêve d'en voir. Crois-tu qu'en cherchant un peu on pourrait trouver une entrée secrète ?

— Certainement pas ! réplique Karim. Comme cette grotte n'a pas dû être visitée depuis un bon moment, j'ose à peine imaginer ce qu'on pourrait y trouver. Et je ne parle pas juste de trous dans le sol ou de bestioles inoffensives comme des chauves-souris ou des araignées. »

Ce que Karim ne dit pas, c'est que l'idée même d'entrer dans une grotte lui donne de grands frissons de dégoût au cœur et à l'âme. Il éprouve une répugnance certaine à s'enfoncer dans les entrailles de la terre, à se retrouver dans un monde clos, fermé, sombre.

« Les caves et les abris ne t'ont donc pas suffi ? reprend-il d'une voix presque hargneuse. À peine sortie d'un trou tu voudrais retourner dans un autre trou ? »

Maha le regarde, étonnée par sa violence.

« Ce n'est pas pareil.

— Mais si, c'est pareil. »

Maha ne répond pas tout de suite. Elle sort ses pieds de l'eau. Elle remet ses chaussettes, ses souliers. Puis elle s'occupe de préparer un biberon pour Jad. Il faut allumer le réchaud, faire bouillir de l'eau, mêler la poudre à l'eau quand celle-ci a refroidi. Lorsque tout est prêt, elle s'installe pour faire boire son frère.

« Eh bien, puisqu'on ne peut pas les visiter pour de vrai, ces grottes, on va les visiter dans notre tête, décide-t-elle. Lis ce que dit le guide. »

Karim, avec un haussement d'épaules, se plie à ce qu'il considère comme un caprice.

« *Au premier rang des sites touristiques libanais par le nombre de ses visiteurs*, commence-t-il, *la grotte de Jeita mérite amplement ce succès.* Chic alors, grommelle-t-il d'un air dégoûté, on va encore nous parler d'avant.

— Continue, ordonne Maha, qui a fermé les yeux.

— *À des dimensions déjà respectables, privilège toutefois largement partagé, elle joint une extraordinaire richesse de concrétions qui la place sans conteste parmi les plus belles du monde.*

— C'est quoi, des concrétions ?

— Je ne sais pas. Probablement tes stalactites et tes stalagmites.

— Fantastique ! » Maha soupire de bonheur. « Continue, continue. »

Karim poursuit donc sa lecture. Il décrit l'aspect général des grottes, fait l'historique de la découverte et de l'exploration des lieux, indique l'horaire des visites et la liste des installations. Le dernier paragraphe réjouit Maha, qui répète avec ravissement certaines des expressions qui émaillent le texte : *cristallisations, affouillé, concrétions* encore une fois. Une phrase, surtout, semble lui chatouiller l'imagination : *Pendant des milliers et des milliers d'années, des milliards et des milliards de gouttelettes ont abandonné d'infimes charges de calcite les unes au bout des autres, faisant lentement naître ces concrétions dont la diversité autant que l'aspect déroute l'imagination.*

« Tu te rends compte ? souffle-t-elle. Des milliers et des milliers d'années, des milliards et des milliards de gouttelettes. Juste à côté. Pour donner ces "concrétions" dont nous ne sommes séparés que par quelques barreaux. Ça donne un peu le vertige. Bon, maintenant, ferme les yeux et suis-moi. On avance dans la grotte du haut. Le sol est brun-rouge. Dans le faisceau de la lampe de poche, soudain, on voit apparaître des formes étranges, irréelles. On dirait des bras, des bras coupés qui indiquent toutes sortes de directions.

— Tu es un peu morbide, tu ne trouves pas ? »

Mais Maha ignore l'interruption et continue à décrire les paysages de la grotte tels
qu'elle les imagine. Des flèches de cathé-
drales, des algues pétrifiées, des aiguilles
tordues, des gnomes et des animaux fantas-
tiques figés dans le calcaire. Des concrétions
rien que pour eux.

Les mots les bercent. Jad somnole sur son
biberon, une goutte de lait au coin des lèvres.
Karim et Maha, eux, décident de s'allonger
un peu, pour se reposer. Tous trois s'endorment
à l'ombre d'un pin au sommet arrondi.

ﺝ ﻉ

Quand ils s'éveillent, le soleil est déjà
bas dans le ciel. Les ombres des arbres
s'allongent sur le sol. Là-bas, au-dessus de la
ville, un obus vient d'éclater.

« À ce rythme-là, ça va nous prendre un
mois pour arriver à Chlifa, fait remarquer
Maha.

— On peut marcher encore quelques
heures aujourd'hui, répond Karim. Tant qu'il
ne fait pas trop noir. »

Ils poursuivent donc leur route dans la
lumière dorée de cette fin de journée. Ils
suivent ce qu'ils supposent être un « constituant » secondaire du Nahr el-Kelb. Le cours

d'eau est minuscule, mais il a creusé une gorge profonde aux pentes escarpées. À vrai dire, les jeunes marcheurs se demandent même s'il y a encore de l'eau, au fond de cette faille étroite dont ils suivent le tracé sinueux. Leur progression est lente mais régulière. Le terrain monte maintenant de façon marquée, et ils doivent parfois s'arrêter pour souffler un peu. Ils profitent de ces pauses pour regarder autour d'eux. Ils portent Jad à tour de rôle. Le bébé a beau être léger, son poids, ajouté à celui des sacs à dos et à la fatigue de la montée, finit par sembler énorme.

La nuit venue, ils s'arrêtent, installent la petite tente et mangent une bouchée en vitesse. Maha, machinalement, s'occupe de son frère. Jad gazouille en agitant ses jambes potelées et ses petits bras qui semblent vouloir attraper les tresses de Maha.

Au moment de se coucher, celle-ci sort la carte postale de la Dame à la licorne et l'examine longuement à la lueur de la lampe de poche.

«Elle est belle, cette licorne, mais tellement triste. À ton avis, pourquoi est-elle si triste?

— Comment veux-tu que je le sache ? répond Karim qui voudrait surtout dormir. Et puis, qui te dit qu'elle est triste ? Elle a peut-être juste du mal à digérer.

— Mais non, elle n'a pas des yeux de licorne qui a mal au ventre, elle a des yeux de licorne qui a mal à l'âme.

— L'âme des licornes ! Tu es sûre que le Prophète a parlé de l'âme des licornes ? »

Maha ne répond pas. Elle souffle un baiser léger en direction de l'image, éteint la lampe de poche et murmure, avant de s'enfoncer dans le sommeil :

« En tout cas, moi, cette licorne, je la protégerais jusqu'à la mort. »

Karim soupire dans le noir. Décidément, cette fille a de bien drôles d'idées.

Mais bientôt, lui aussi sombre dans un sommeil profond et sans rêves. Il oublie Maha et ses drôles d'idées. Il oublie les menaces et les dangers. Il oublie la guerre qui gronde au loin. Il dort.

« Ouille ! grimace Maha en s'éveillant le lendemain matin. Est-ce que c'est ça qu'on appelle des courbatures ? »

Mais, en sortant de la tente, elle découvre un paysage d'une beauté à couper le souffle… et à oublier les courbatures. D'où elle est, elle embrasse du regard la vallée du Nahr el-Kelb qui descend doucement vers la mer, ruisselante de lumière sous un ciel immensément bleu. Elle découvre des collines, des bois, des villages nichés dans des vallons ou perchés sur des pics rocheux, des clochers qui s'élancent vers le ciel.

« Karim, viens voir. »

Le garçon sort à son tour, les cheveux en bataille, l'air encore un peu endormi.

« Oh ! »

Lui aussi subit le choc du paysage. Il faut dire que la veille, dans le noir, ils n'ont pas vu grand-chose malgré la lune qui se levait. Et ils étaient tellement épuisés qu'ils n'avaient qu'une idée : dormir.

Ils sont tirés de leur contemplation par les cris rageurs de Jad, qui n'apprécie pas d'avoir été abandonné et qui réclame son biberon avec beaucoup de conviction.

« Mais ça boit tout le temps, un bébé ! s'exclame Karim, qui a l'impression que ce personnage prend beaucoup de place, en dépit de sa taille minuscule. Et quels poumons !

— Si ce n'était que ça, soupire Maha. Mais ça chie tout le temps.

— Maha ! s'écrie Karim, choqué par le terme qu'a utilisé la fillette. Ce n'est pas Nada qui aurait dit un mot pareil.

— Non, n'est-ce pas ? riposte Maha, piquée. Mais ce n'est pas elle non plus qui lui aurait changé sa couche ! »

Et, d'un pas rageur, elle se dirige vers la tente.

Elle change le bébé en silence puis le dépose dans les bras de Karim. Elle vide ensuite le fond de la gourde dans une petite casserole.

« Fais chauffer cette eau pour un biberon. Moi, je descends à la rivière rincer cette couche et celle d'hier soir, que je m'étais contentée de mettre dans un sac de plastique. Et je vais remplir la gourde. »

Au moment où elle commence à descendre la pente abrupte, Karim lui lance :

« Un conseil : remplis d'abord la gourde.

— Tu me prends pour une conne, ou quoi ? Évidemment, que je vais commencer par remplir la gourde. »

Elle fait quelques pas puis ajoute :

« Et pas la peine de me dire que Nada n'aurait jamais dit "conne". Je le sais. »

Karim la regarde disparaître.

« Petit, déclare-t-il ensuite à Jad qui réclame toujours son biberon à grands cris, ta sœur va finir par me rendre fou. J'espère malgré tout qu'elle ne va pas se casser la figure dans ce ravin. »

ﺩ ﻉ

Maha ne s'est pas cassé la figure dans le ravin, même si elle a glissé à plusieurs reprises, provoquant chaque fois une avalanche de petits cailloux qui dévalaient la pente à toute vitesse avant de tomber dans le cours d'eau avec des petits «ploc» qui ont rassuré la fillette. Au moins il y avait de l'eau au fond.

Elle a rempli la gourde et rincé les couches (dans cet ordre) puis elle est remontée en s'agrippant à tout ce qui lui tombait sous la main.

«Ouf! soupire-t-elle en se laissant choir à côté de Karim qui, tant bien que mal, donne le biberon à Jad. C'est une façon comme une autre de s'ouvrir l'appétit pour le petit déjeuner. Je meurs de faim.

— Madame est servie», répond Karim avec un mouvement du menton en direction de deux grosses tartines posées sur un mouchoir.

Maha lève des sourcils étonnés.

«Tu as eu le temps de préparer le lait et de faire les tartines? Nada avait raison, tu es vraiment parfait.»

Et elle se précipite sur les tartines, qu'elle engouffre en prenant à peine le temps de respirer.

Karim, intrigué, tourne et retourne dans sa tête la petite phrase qu'elle vient de lui lancer. Nada a déjà dit qu'il était parfait? Que voulait-elle dire par là? Et qu'a-t-elle pu dire d'autre sur lui ? Que connaît Maha à son sujet ?

جب

Toute la journée ces questions le poursuivent. Il avance, il monte, il porte Jad, il est conscient d'une douleur entre les épaules, de l'effort qu'il lui faut faire pour avancer une jambe, puis l'autre, encore et encore. Mais, toujours, comme une obsédante litanie, reviennent les questions. Questions stériles, inutiles, sans doute égoïstes, mais qui lui martèlent la tête et le cœur. Que pensait Nada de moi ? Que disait-elle à mon sujet ? M'aimait-elle ? Et qui était-elle vraiment ? Nada. Un nom. Un sourire. Une odeur un peu sucrée. La courbe fugitive d'un sein. Un baiser trop rapide. Et maintenant cette douleur qui lui fouille le ventre.

À un moment donné, ils croisent une route, qu'ils traversent en s'assurant qu'elle est bien déserte. De temps en temps, ils aperçoivent une ferme, au loin, et même des silhouettes qui marchent ou qui travaillent dans des champs, mais ils ne rencontrent personne.

La chaleur est telle, à midi, qu'ils décident de s'arrêter quelques heures à l'ombre des arbres. Ils continueront ensuite jusqu'au soir, comme la veille.

L'après-midi, les bombardements reprennent au loin, mais ils y portent à peine attention. Là-bas, il y a des bombes ; ici, il y a des arbres, des rochers, des oiseaux et des papillons. Les deux mondes n'ont rien en commun. Peut-être est-ce ainsi qu'on oublie les atrocités. En s'éloignant. En faisant comme si elles n'existaient pas.

ﺩ ﻉ

Ils ont regardé le soleil s'enfoncer dans la mer, très loin sur l'horizon.

« Un spectacle comme celui-là, dit soudain Karim, ça me donne beaucoup plus le goût de prier que les appels du muezzin[1].

— Tu ne regardes pas dans la bonne direction, fait remarquer Maha. La Mecque, ce serait plutôt derrière nous. Enfin, il me semble. »

Le garçon ne répond pas tout de suite. Et quand il répond, c'est pour demander :

---

1. Muezzin : Fonctionnaire religieux musulman attaché à une mosquée et dont la fonction consiste à appeler du minaret, cinq fois par jour, les fidèles à la prière.

« Et toi, est-ce que tu pries cinq fois par jour en te prosternant en direction de La Mecque ?

— Cinq fois, non. Ça fait beaucoup, tu ne trouves pas ?

— C'est pourtant l'un des cinq piliers de l'islam, l'une des cinq obligations personnelles de notre religion. Serais-tu une mauvaise musulmane ?

— C'est ce que prétendaient ma mère, Mme Farhat et même Nada. Mais je ne crois pas être une mauvaise musulmane. Un peu insouciante, peut-être, mais pas mauvaise. De toute façon, je suis encore une "petite fille", comme tu me le rappelles si souvent, et je ne suis donc pas encore soumise à toutes les obligations. Je prie quand même régulièrement, je jeûne pendant le ramadan et je crois, comme le dit la *chahâda*[2], "qu'il n'y a de dieu que Dieu et que Mahomet est son prophète". Quant à l'aumône et au pèlerinage à La Mecque, je m'en occuperai quand je serai grande. Alors, tu vois bien que je ne suis pas une si mauvaise musulmane. Et toi, es-tu un bon musulman ? »

---

2. Chahâda : Profession de foi de l'islam, affirmant l'unicité de Dieu.

Karim réfléchit un peu.

« Probablement pas. Il faut dire que ma mère est chrétienne et que mon père a cessé depuis longtemps d'aller à la mosquée. Alors, ce n'est peut-être pas le milieu le plus propice à la ferveur religieuse. Je crois en Dieu, oui. À celui de Moïse, de Jésus et de Mahomet. Mais je n'y pense pas souvent. Il m'arrive parfois de lire le Coran. Certaines sourates[3] sont très belles. »

Tout en parlant, Karim s'étonne de parler ainsi de religion avec Maha. Il s'étonne aussi du sérieux que celle-ci met à l'écouter. Par moments, il a du mal à se rappeler qu'elle n'a que douze ans.

ﺝ ﻉ

Ils se sont remis en marche en direction des montagnes. Celles-ci se dressent devant eux, immenses et droites, formant une barrière apparemment infranchissable. Si Antoine Milad ne leur avait pas remis une carte précise de la région, s'il ne les avait pas assurés de la présence d'un sentier menant de l'autre côté de la montagne, ils hésiteraient

---

3. Sourates : Chapitres du Coran.

à continuer vers cette barrière aux sommets enneigés qui semble s'éloigner au fur et à mesure qu'ils avancent.

« Ce n'est pas possible ! s'exclame Maha au cours d'une de leurs nombreuses pauses. On a beau s'exténuer à marcher, les montagnes sont toujours aussi loin. Crois-tu qu'il s'agisse de montagnes ensorcelées ? »

Karim n'est pas loin de se poser la même question, mais il refuse de se laisser aller au découragement et répond donc avec un optimisme un peu forcé :

« Mais non, voyons. On avance bien. Regarde ce gros cyprès, là-bas. Il grandit à vue d'œil. Si les sommets semblent toujours aussi loin, c'est à cause de l'humidité, qui trouble la limpidité de l'air et déforme les distances…

— Vive la science ! riposte Maha d'un ton moqueur. Tu es sûr de ce que tu avances ?

— Eh bien…

— C'est bien ce que je croyais. Allez, un peu plus de vigueur, Monsieur le professeur ! »

 د ع

Après le coucher du soleil, ils arrivent près d'une autre route, plus importante, le long de laquelle les villages se succèdent à intervalles un peu trop rapprochés à leur goût. Ils n'ont qu'une idée : traverser cette route, le plus rapidement et le plus discrètement possible. Et, pour s'assurer cette discrétion, ils décident d'attendre que la nuit tombe. Deux ombres qui marchent parmi les ombres, ça ne devrait pas trop attirer l'attention. Ils s'installent donc confortablement au creux d'un bosquet en attendant le crépuscule.

« Allons-y, décrète Karim au bout d'un moment. À présent, il fait sûrement assez sombre. De toute façon, si on tarde trop, c'est la lune qui risque de nous trahir. »

Ils se lèvent et, après un coup d'œil prudent aux alentours, traversent la route avant de s'engager dans les champs qui s'étendent de l'autre côté. Ils marchent vite, pour s'éloigner le plus rapidement possible des villages.

« Si nous sommes bien où nous devrions être, a dit Karim pendant qu'ils attendaient, et si j'en crois la carte, le village à notre gauche s'appelle Mazraat Kfardibiane, et celui de droite, Bqaatouta. Ou peut-être Boqaatet Kanaâne. »

Maha se moque bien des noms des villages. Ce qu'elle veut, c'est les voir disparaître.

« On va marcher encore un peu, suggère Karim, puis on s'installera pour la nuit. Malgré ton pessimisme, jeune fille, nous ne sommes vraiment pas loin des montagnes. En allongeant le bras, on pourrait les toucher... ou presque. Demain, nous pourrons changer de direction et aller plutôt vers le nord, afin de rejoindre le sentier dont nous a parlé... »

Il s'interrompt en découvrant la scène qui, à la sortie d'un bouquet d'arbres, s'étale devant eux.

La lune vient de se lever, éclairant un paysage hérissé d'une multitude de rochers blancs et déchiquetés. Plus loin, la base des montagnes est ceinte de milliers de murets en terrasses.

« Des pierres de lune », murmure Maha.

Et, tous les deux, ils cherchent, en arabe et en français, l'expression qui convient le mieux à ce lieu irréel et troublant.

« C'est lunatique, finit par dire Maha. Lunaire et fantomatique. »

Ils avancent silencieusement dans ce paysage lunatique, entre les rochers dressés vers le ciel, vers la lune qui semble les attirer. Il y en a pendant des kilomètres et des kilomètres.

« Les voilà, tes stalagmites, fait remarquer Karim.

— Si on veut, à part que les stalagmites poussent dans les entrailles de la terre, et que ces aiguilles de pierre sont tombées de la lune. Ce sont des orphelines de la lune, qui se tendent de toutes leurs forces pour que celle-ci les reprenne. Mais la lune reste de glace. Elle se contente de les baigner de cette lumière blanche. Elle reste là à les attirer, à les agacer, mais jamais elle ne les reprendra.

— Tais-toi », l'interrompt Karim, qui n'aime pas cette histoire d'orphelines et d'efforts inutiles.

Et puis, marchant au milieu des rochers, ils découvrent des ruines. Des ruines d'il y a très longtemps.

Des colonnes, quelque chose qui a dû être un temple, deux tours carrées.

« Des ruines romaines, murmure Karim d'un ton rêveur. Tu te rends compte, des gens sont venus ici, autrefois. Ils ont prié, ils ont peut-être habité là. C'est beau, non ? Tellement paisible.

— Oui. Mais tu ne trouves pas ça bizarre, toi, que des vieilles ruines ce soit beau, et que des jeunes ruines, comme celles de Beyrouth, ce soit affreux ? Crois-tu que, dans des centaines ou des milliers d'années, les gens vont marcher d'un air inspiré dans les ruines de Beyrouth en trouvant cela beau, paisible et romantique ?

— Tu as de ces idées ! » riposte Karim, troublé malgré lui. Romantiques et paisibles, les ruines de Beyrouth ? Non, sûrement pas. C'est ce qu'il tente d'expliquer à Maha. « Mais… non, ce ne sera ni paisible ni romantique. Il y a eu trop de morts, il me semble, trop de sang et trop de cris.

— Et dans ces ruines-ci, et dans toutes les autres dans le monde, il n'y a pas eu de morts, de sang et de cris ? À Troie, à Rome, à… à je ne sais pas, Babylone ou Sparte ou Baalbek, il n'y a pas eu de guerres, de batailles, d'horreurs ? Mais à présent, tout ce qu'on voit, c'est le côté paisible et romantique. Tu ne trouves pas ça révoltant, toutes ces morts oubliées ? »

Karim ne répond pas. Il n'y a rien à répondre. Une vie ne suffirait pas à essayer de comprendre.

« Ce serait l'endroit rêvé pour faire un feu, soupire Maha un peu plus tard. Un grand feu de joie.

— Un grand feu de joie qui attirerait sur nous l'attention du monde entier, ou à peu près, rétorque Karim en allumant plutôt le réchaud discret que leur a remis Milad. Alors, minestrone, boîte de thon et dattes, Mademoiselle ? »

Maha soupire. Bien sûr, minestrone, boîte de thon et dattes. Comme tous les soirs. Quand Antoine Milad a rempli leurs sacs de provisions, il a eu un petit sourire en désignant les boîtes de thon, les sachets de minestrone déshydraté et l'énorme paquet de dattes.

« La variété n'est pas terrible, mais il y en a en quantité. Vous ne mourrez pas de faim avec ça.

— De faim, non ; de monotonie, sûrement.

— Un peu de monotonie n'a jamais tué personne. »

D'un soir à l'autre, d'un repas à l'autre, le rituel ne change guère. Thon, minestrone et dattes. Café soluble. Lait pour Jad, un peu de purée en petit pot. « Vivement qu'il ait vidé tous ces pots, a grogné Karim en soulevant son sac la première fois. Ça pèse une tonne, ces petits pots. » « Pas autant que les boîtes de thon », a riposté Maha, qui a hérité de ces dernières.

Et, après le repas, Karim rince la vaisselle pendant que Maha change la couche de Jad, lave la couche souillée, endort son frère en lui chantant une petite chanson triste, toujours la même, dont Karim n'arrive pas à saisir les paroles et qu'il n'ose pas lui demander de chanter plus fort.

Ils se sont installés au milieu des ruines, dans ce paysage lunaire et minéral qui brille d'un éclat étrange sous la lune.

Avant d'entrer dans la tente pour dormir, Karim et Maha s'attardent un peu à regarder la nuit. Le ciel est constellé d'étoiles pâles qu'ils ont du mal à distinguer dans le clair de lune.

« J'aime la nuit », déclare Maha d'une voix douce.

Et, un moment après :

« Je hais la nuit », annonce-t-elle tout aussi doucement.

Karim hausse les sourcils :

« Il faudrait savoir, ma fille. Tu aimes ou tu hais la nuit ?

— Mais… les deux, répond Maha sur le ton de l'évidence. C'est comme pour tout. » Elle se tait un instant, semble chercher une façon de lui faire comprendre. « Est-ce que tu lis, parfois, des interviews de vedettes de cinéma ou de sport ? » Karim, de la tête, indique que non. « Moi, j'en lis tout le temps. J'adore ça. Tu sais, ces interviews où on demande aux gens quelle est leur saison préférée, ou leur mets préféré, ou leur couleur préférée. Ce qui m'intéresse, ce ne sont pas leurs réponses. C'est de voir que, *toujours*, ils ont une réponse. Qu'ils sont capables de dire "Ma couleur préférée, c'est le rouge" ou "Ma saison préférée, c'est l'été". Moi, ma couleur préférée, c'est le rouge. Et le vert. Et le jaune. Et le blanc. Quand je dis quelque chose, j'ai souvent l'impression que je pourrais dire le contraire et que ce serait aussi vrai. J'aime la nuit, oui, quand je peux me raconter des histoires dans le noir, dans le secret de mon lit. Ou quand tout est calme et vaste, comme ce soir. Je hais la nuit quand les obus éclatent partout. Quand les gens profitent des ténèbres pour tuer, violer, piller. Alors, tu vois, tout est vrai.

— Ou tout est faux, fait remarquer Karim.

— Si tu veux.

— C'est à cause de cela que la vieille Mme Farhat te traitait de menteuse ?

— Non, ce que je viens de te dire, tu vois, c'est le genre de chose qu'elle ne comprend pas, qu'elle ne comprendrait pas même si on le lui expliquait pendant cent ans. Non, elle parlait d'autre chose. Des fois où je dis que je vais étudier chez mon amie Hiba, alors qu'en fait je vais fumer "en cachette" derrière l'immeuble, juste sous ses fenêtres. Je déteste fumer, mais j'adore choquer cette vieille chouette. Ou quand je reviens à la maison plus tôt que d'habitude en disant que le prof était malade et qu'on nous a donné congé, alors que je me suis tout simplement éclipsée pour ne pas avoir à répondre à un examen de mathématiques.

— Et ça te sert à quoi, de raconter ces mensonges ?

— À m'attirer des ennuis, en général, répond Maha avec un petit rire. Et toi, tu ne mens donc jamais ? »

Pris de court, Karim hésite avant de répondre.

« Non. Enfin, oui, sûrement un peu, comme tout le monde. Mais pas… pas pour ce genre de choses. Je déteste mentir.

— C'est vrai, le jeune homme parfait, comme disait Nada. »

Encore cette expression ! Cette fois, à la faveur de la nuit, Karim se décide à poser la question qui l'a poursuivi toute la journée.

« Nada t'a parlé de moi ?

— Tu sais, elle et moi, on ne se parlait pas tellement.

— Mais ça fait deux fois que tu dis que Nada parlait de moi comme d'un jeune homme parfait. Et l'autre nuit, quand nous avons quitté l'abri, tu savais que nous nous étions embrassés. C'est donc que Nada te l'a dit. »

Maha ne répond pas tout de suite. Elle enroule un bout de sa longue natte autour de son doigt, l'air songeur. Elle se décide enfin. Plantant son regard dans celui du garçon, elle relève le menton et lance, avec une pointe de défi :

« Non, elle ne me l'a pas dit. Je l'ai lu dans son journal intime. Elle le cachait sous son matelas. Ça, si tu veux mon avis, ce n'était pas très malin. *Tout le monde* sait que c'est le premier endroit où on va fouiller.

Elle aurait pu faire preuve d'un peu d'imagination, le punaiser derrière un tiroir ou le dissimuler dans la bibliothèque. Mais Nada n'a jamais eu aucune imagination.

— Menteuse, indiscrète… Sais-tu que je commence à me demander si Mme Farhat n'avait pas raison.

— Et moi, crie Maha avec colère, je commence à croire que ma sœur avait raison : tu es vraiment un jeune homme parfait. Tu ferais un bon policier, tiens, ou un juge. Sévère, pompeux, facilement indigné. Je hais les gens parfaits. Et, pour une fois, le contraire n'est pas vrai. »

Sur ces mots, Maha se glisse dans la tente. Karim l'entend refermer la fermeture-éclair de son duvet avec brusquerie.

Le garçon fixe sans le voir le paysage qui s'étale sous ses yeux. La conversation avec Maha l'a troublé. C'est la première fois qu'il rencontre quelqu'un qui le déroute autant. Maha est à la fois naïve et farouche, fragile et dure. Il ne sait jamais si elle va se mettre à rire et à sautiller, ou, au contraire, crisper les poings et lui lancer sa rage en pleine figure.

Et les accusations de la fillette le mettent mal à l'aise. Est-il vraiment le personnage rigide et sévère qu'elle a décrit? Un jeune homme parfait: qu'est-ce que ça peut bien vouloir dire pour elle? Karim a l'intuition que ces mots n'ont pas pour Maha le sens qu'ils pouvaient avoir pour Nada. Et il ne sait toujours pas ce que Nada voulait dire par là. D'ailleurs, veut-il être parfait? Peut-être, dans le fond. Serait-ce si mal? De toute façon, il sait très bien qu'il ne l'est pas, parfait. Il est susceptible, égoïste, orgueilleux... Peut-être pas toujours, mais...

Soudain, il se dit que Maha a raison. C'est difficile de décréter qu'une chose est vraie, immuable, définitive.

« Je ne comprends pas cette gamine, murmure-t-il à la nuit. Elle est insolente et bourrée de défauts, mais elle a aussi du cran, de la débrouillardise... et quelque chose de mystérieux. Quelque chose comme une vision qui s'accorde mal à son corps frêle et à sa voix claire. Et voilà qu'elle est fâchée contre moi. Demain, il faudra qu'on se réconcilie. Ce serait idiot de poursuivre ce voyage en se boudant. »

Karim se glisse à son tour dans la tente, mais il a du mal à trouver le sommeil. Ses pensées tourbillonnent autour de lui, sans qu'il arrive à en suivre aucune avec logique et précision. Au moment de s'endormir, il se demande quel défaut, chez lui, pourrait amadouer Maha, la rendre moins dure à son égard.

Ce sont les pleurs de Jad qui, le lendemain matin, réveillent Karim.

Il fait clair, le bébé est près de lui dans la tente, mais aucune trace de Maha.

« Elle n'est quand même pas partie en abandonnant son frère, grommelle Karim encore à moitié endormi. Non, sûrement pas. Pas avec ce qu'elle a dit l'autre nuit. » Karim revoit le visage fervent levé vers lui, il entend la voix claire de Maha dire qu'elle n'a plus que Jad au monde. « Non, elle ne l'a pas laissé. Mais où peut-elle bien être ? »

Comme pour répondre à sa question, des bruits se font entendre un peu plus loin. Karim perçoit des craquements, des frôlements, et la voix de Maha, un peu haletante :

« Viens, allez, viens, ma belle, ma toute noire. Oui, comme ça. Holà… non, ne tire pas comme ça. Je ne te veux aucun mal, voyons. Oui, ma toute noire, oui. »

Intrigué, Karim sort la tête de la tente. Maha aurait-elle trouvé une chatte, ou une poule ?

Eh bien, non, la créature que tente d'amadouer Maha n'est ni une chatte ni une poule, mais une chèvre, une chèvre au long poil noir qui regarde Maha d'un air impénétrable.

« C'est qu'elle a la tête dure », marmonne Maha.

Elle a entortillé une des couches de Jad de façon à en faire une espèce d'anneau qu'elle tente de passer autour du cou de la chèvre. Elle tient aussi un bout de corde, sorti d'on ne sait où. De toute évidence, elle cherche à tenir la chèvre en laisse, comme un petit chien.

« C'est vrai qu'elle a un air buté, approuve Karim toujours à genoux dans l'ouverture de la tente. Si, en plus, on tient compte de ses grands yeux, de son menton pointu et de sa toison noire et emmêlée, c'est tout à fait toi. On pourrait l'appeler Maha, ou Mahelle.

— Très drôle, réplique Maha sans prendre la peine de se tourner vers lui. J'espère seulement que j'ai moins de poils au menton… menton que je n'ai d'ailleurs pas si pointu que ça. Mais, au lieu de m'insulter, tu devrais venir m'aider à attacher cette maudite chèvre. Oui, ma belle, oui, ma toute douce, continue-t-elle en tentant de caresser la tête noire. Mais oui, tu vas venir avec nous. Tu vas voir, on va faire un beau voyage. Et puis, on va pouvoir te soulager un peu. Tu ne trouves pas qu'elle a le pis gonflé ?

— Moi, tu sais, les chèvres…, commence Karim d'une voix prudente.

— Enfin quelque chose que tu ne sais pas ! s'exclame Maha, ravie. Il n'est peut-être pas si parfait qu'il en a l'air, finalement, dit-elle à la chèvre qui continue de résister. On va pouvoir en faire quelque chose.

— Et puis, es-tu vraiment sûre que ça s'appelle un pis, pour une chèvre ?

— C'était trop beau pour durer, soupire Maha. Comment tu veux que j'appelle ça ? demande-t-elle avec un geste en direction des mamelles. Des seins ?

— En tout cas, ce n'est pas chez toi que se remarque le plus la pudeur légendaire des femmes arabes », fait remarquer Karim en s'extirpant complètement de la tente.

Mais sa voix n'est ni rigide ni sévère, cette fois, et Maha ne s'offusque pas de sa remarque.

Le garçon s'approche de Maha et de sa chèvre pendant que, dans la tente, Jad hurle de plus belle.

« En effet, ces… choses semblent gonflées, admet-il en se grattant la tête d'un air perplexe.

— Eh bien, dans ce cas, trayons-la, déclare Maha d'un air décidé. Si seulement je pouvais arriver à… Voilà ! s'écrie-t-elle avec jubilation. J'ai enfin réussi à lui passer ce licou. Mais oui, ma jolie, mais oui, ma toute noire. Tu vas rester bien tranquille pendant que ce grand maladroit va te traire. Mais oui…

— Moi ! s'étrangle Karim. Mais je n'ai jamais fait ça.

— Oui, ça on commence à le savoir. Et moi, tu crois que j'ai passé ma vie à traire des chèvres, au coin de la rue Mazraa et du Borj Abi Haïdar ? Ça ne doit pas être si compliqué, il me semble. Tu prends les trayons et tu tires. »

Résigné, Karim va chercher la casserole, il la dépose sous la chèvre, là où, selon toute probabilité, le lait risque de couler, puis il s'accroupit à côté de la bête. L'opération a un côté vaguement sexuel qui le rend mal à l'aise. C'est sans doute moi qui ai l'esprit mal tourné, songe-t-il, sans que cette explication lui facilite la tâche le moins du monde.

Il se décide enfin à saisir les trayons et à exercer une petite pression.

« Plus fort, s'impatiente Maha. On ne te demande pas de la caresser mais de la traire. »

Karim se sent devenir cramoisi, sans savoir si c'est de colère ou de honte.

Il serre plus fort, tire un peu.

« Fais glisser tes mains », suggère Maha.

Il fait glisser ses mains. Finalement, quelques gouttes jaillissent… et tombent partout sauf dans la casserole. Karim s'attend à quelque remarque acerbe de la part de Maha, mais, curieusement, la fillette ne dit rien.

Karim trouve enfin une façon de faire gicler le lait. Il ne gagnerait probablement pas le concours national des trayeurs de chèvres, mais le niveau de lait monte peu à peu dans la casserole.

« Je crois que c'est tout, finit-il par décla-
rer quand les mamelles semblent vides et
flasques sous ses doigts.

— Enlève vite la casserole, avant qu'elle
mette un sabot dedans », suggère Maha à mi-
voix.

Elle a cependant abandonné le ton rail-
leur et péremptoire qui agaçait tant Karim.

Le garçon prend la casserole et se relève.
Ce n'est qu'à ce moment qu'il se rend compte
qu'il est trempé de sueur et épuisé comme
après une longue course.

« Eh bien, ce n'est pas de tout repos, la
vie de berger. »

Soudain, Maha éclate de rire. Un rire
limpide, frais comme une source au cœur de
la mousse.

C'est la première fois que Karim l'entend
rire ainsi, sans retenue, sans raillerie, et il est
gagné par ce rire qui cascade dans le petit
matin.

Ils rient tous les deux parmi les ruines, au
milieu des pierres de lune qui paraissent roses
sous le soleil levant, entre la chèvre qui bêle
et Jad qui s'époumone au fond de la tente. Ils
rient à en pleurer, à en avoir mal au ventre,
à en perdre l'équilibre. Parfois, ils semblent

près de se calmer. Puis ils se regardent, et leurs rires repartent de plus belle.

« On rit in-co-er-ci-ble-ment, hoquette Karim.

— Co... comment ? s'étrangle Maha.

— Pas co, inco. Inco... inco... je n'en peux plus ! » râle Karim.

Il y a longtemps qu'il n'a pas été aussi heureux. Aussi bêtement heureux.

(« Bêêê ! » dit la chèvre.)

ن ع

Une fois calmés – même les rires incœrcibles ont une fin –, ils attachent la chèvre à un arbre, se partagent le lait encore chaud (Maha soutient que Jad est trop petit pour du lait de cette sorte, et Karim ne la contredit pas, d'autant plus qu'il trouve que ça a un drôle de goût, le lait de chèvre) puis Karim va chercher Jad pendant que Maha s'escrime avec le réchaud.

« Mais il est dégueulasse, ce bébé ! s'exclame Karim, qui sort de la tente en tenant Jad à bout de bras.

— S'il te plaît, ne me fais pas rire, implore Maha. J'ai mal partout.

— Alors répète après moi : "Karim est un jeune homme imparfait et bourré de défauts."

— Karim est un défaut bourré de jeune homme imparfait.

— Le ton manque de conviction, mais ça va aller. Alors, voilà, j'ai le remède idéal contre les fous rires. »

Et il lui dépose Jad dans les bras, Jad qui ressemble en ce moment à un petit paquet hurlant, puant et dégoulinant de pipi.

ﺩ ﻉ

Ils ont dit adieu à leur paysage lunatique et à leurs ruines. D'après leur guide, cet endroit s'appelle Qalaat Faqra. Non loin de là, ils devraient trouver un torrent surmonté d'un pont naturel d'une beauté impressionnante. Maha et Karim n'ont rien contre la beauté, mais ils sont surtout attirés par l'idée de se rafraîchir un peu dans le torrent.

Ils trouvent le torrent, admirent comme il se doit l'arche parfaitement symétrique qui le surplombe et trempent avec délices leurs pieds (et quelques autres parties de leur anatomie) dans l'eau vive et glacée. De grosses pierres rondes semblent avoir été déposées exprès dans le lit du torrent pour qu'ils puissent le traverser sans danger. Ils le traversent donc et poursuivent leur route, qui, à présent, grimpe résolument dans la montagne.

Avant de quitter Qalaat Faqra, ils ont consulté longuement la carte de la région, indécis quant à la route à suivre. Ils savent où ils veulent aboutir, aucun doute là-dessus. À côté d'Aaqoura, un peu plus au nord, d'où part l'ancienne voie romaine qui va les conduire de l'autre côté du mont Liban, à quelques kilomètres de Chlifa. Mais ils hésitaient sur la meilleure façon d'y aller. D'après la carte, une route longe la base des montagnes et, après une longue courbe, arrive à Aaqoura. Malheureusement, cette route passe par plusieurs villages, et les jeunes voyageurs se demandaient s'il serait prudent de s'aventurer dans des lieux aussi habités. Ils ont donc décidé de passer par la montagne.

« Comme l'a dit Antoine Milad, la nature sera toujours plus clémente que les humains, ou quelque chose dans ce goût-là, a rappelé Karim.

— On va donc continuer notre vie sauvage et aventureuse, s'est réjouie Maha. Et puis, à présent qu'on a Tête noire, même si on se perd, on ne risque pas de mourir de faim. N'est-ce pas, ma belle ? » a-t-elle ajouté en direction de la chèvre.

Tête noire, condescendante, a penché sa tête (noire).

« On ne se perdra pas, a déclaré Karim avec assurance. Il suffit de grimper jusqu'à ce qu'on atteigne une espèce de plateau, puis de tourner vers le nord. On sera alors dans une vallée. En suivant cette vallée, on devrait aboutir du côté d'Afqa, pas trop loin d'Aaqoura, *inch Allah* ! »

Maintenant, quelques heures plus tard, ils doivent, pour la deuxième fois, rebrousser chemin parce que la pente sur laquelle ils se sont engagés est coupée par un profond précipice, et qu'il n'est pas question de se risquer dans un endroit pareil avec une chèvre et un bébé. La chèvre, passe encore. Mais le bébé…

Ils reviennent donc sur leurs pas et tentent leur chance ailleurs, à un endroit où la montagne s'élève en pente raide. Leur progression est lente et difficile, Tête noire s'arrête dans les endroits les plus incongrus, et ils n'ont toujours pas trouvé leur « espèce de plateau ».

Évidemment, se dit Karim, c'est le genre de truc qui se voit beaucoup plus clairement sur une carte que sur un terrain couvert d'arbres et particulièrement accidenté. Les choses apparaissent plus confuses quand on a le nez collé dessus.

Ils ne craignent pas de se perdre, pas encore, mais ils commencent à se demander s'ils n'auraient pas mieux fait de suivre la route, quitte à marcher la nuit et à dormir le jour, au creux d'un fossé ou dans des fourrés.

« Oh, et puis non, conclut Maha. On a juste à être moins pressés, c'est tout. »

Ils entrecoupent donc leur route de haltes fréquentes. Maha en profite pour essayer d'identifier les arbres et les plantes qu'ils rencontrent.

« Ça, c'est un pin, c'est sûr, et ça, un chêne. Mais cette drôle de plante, là, c'est quoi ? »

Karim doit avouer son ignorance en matière de botanique.

« Pour une fois que ta perfection aurait servi à quelque chose, soupire Maha. Tant pis, on mourra idiots. »

Finalement, après beaucoup de pas et beaucoup de haltes, ils découvrent leur plateau, un peu avant la nuit. Une vallée s'ouvre vers le nord, entre une colline à gauche et une montagne plus haute à droite. Ils commencent à s'y engager, mais, bientôt, l'obscurité est telle qu'ils ne voient même plus où ils mettent les pieds. Ils doivent se résigner à passer la nuit au milieu des montagnes.

Après le coucher du soleil, un vent frais s'est levé, qui les fait maintenant frissonner. Ils montent la tente en vitesse et s'y réfugient, heureux de la chaleur qui monte des trois corps entassés dans cet espace restreint. Jad est couché entre eux, et, comme chaque nuit, Karim espère qu'ils ne l'écraseront pas.

Dehors, Tête noire tire sur sa corde et pousse des bêlements plaintifs.

« Crois-tu qu'il y a des loups, dans la montagne ? s'inquiète soudain Maha. Il ne faudrait pas qu'il arrive malheur à Tête noire. Tu sais, comme dans l'histoire de "La chèvre de M. Seguin". Elle s'est battue toute la nuit, et puis, au matin, le loup l'a mangée.

— Il n'y a sûrement pas de loups par ici, répond Karim d'une voix qu'il s'efforce de rendre rassurante. Et puis, tu voudrais qu'on fasse quoi ? Qu'on l'installe avec nous dans la tente, avec sa barbichette qui nous chatouillerait le bout du nez, et son haleine qui nous empoisonnerait à coup sûr ? »

Maha a un petit rire.

« Allez, ne t'inquiète pas pour ta chèvre, reprend Karim. Et fais de beaux rêves.

« Toi aussi, dit la fillette d'une voix taquine. Rêve de moi. »

Et, après un dernier regard à la Dame à la licorne, elle éteint la lampe de poche.

Dans le noir, Karim attrape une longue natte et tire doucement dessus.

« Dis donc, ce n'est pas la modestie qui t'étouffe, fait-il remarquer à mi-voix.

— Moi, il n'y a rien qui m'étouffe », précise Maha.

Et elle s'endort, un large sourire aux lèvres.

« Elle s'habitue à nous, tu ne trouves pas ? On dirait même qu'elle sourit. Et elle avance avec beaucoup plus d'enthousiasme… »

Karim éclate de rire.

« Et voici Mademoiselle Maha, grande spécialiste en chèvres et en sourires de chèvres. À défaut de licornes…

— Évidemment, elle n'a pas la classe d'une licorne, admet Maha. De toute façon, jamais je n'aurais attaché une licorne. Les licornes, c'est fragile, c'est fier, c'est nécessairement libre. On ne peut pas les attacher comme de vulgaires chèvres (excuse-moi, Tête noire). On les admire de loin, une fois, quand on est vraiment chanceux, et on vit avec leur souvenir toute notre vie. »

Karim, qui n'arrive pas à déterminer si elle croit réellement à l'existence des licornes, juge plus prudent de ne rien dire. L'humeur de sa compagne est au beau fixe, et il ne tient pas à ce que ça change.

La journée est elle aussi au beau fixe. Le temps est magnifique, la chèvre s'est laissé traire sans regimber, Jad gazouille plus qu'il ne pleure, et ils avancent plus rapidement que la veille dans ce paysage âpre et vivifiant. Même le minestrone et le thon semblent avoir un goût différent.

La vallée s'étire, plus longue qu'ils ne l'avaient prévu, mais leur marche est aisée. Une fois de plus, Karim est frappé par les odeurs qui montent de la terre, des fourrés, de ce foisonnement de vie végétale qui les entoure.

« Si on traversait les montagnes ici, tu crois qu'on arriverait à Chlifa ? demande Maha au milieu de l'après-midi, avec un geste vers les sommets qui se dressent à leur droite.

— Peut-être. Le problème, c'est qu'on ne peut pas traverser n'importe où. Tu as vu cette neige ? Il faut qu'on trouve un col praticable, et la voie romaine dont nous a parlé Milad est certainement plus sûre et plus praticable qu'un sentier qu'on ouvrirait nous-mêmes. »

Maha s'arrête et regarde les sommets enneigés.

« Je n'ai jamais touché à de la neige. Et toi ? »

Karim, d'un mouvement de la tête, indique que lui non plus ne connaît pas la neige.

« J'ai toujours rêvé de me coucher dans la neige et d'agiter les bras, pour faire comme des ailes d'ange, confie Maha. J'ai vu ça dans un film, une fois, et je me suis promis qu'un jour je ferais l'ange. »

Puis ils se remettent en route et se dirigent vers la trouée de lumière, droit devant, qui semble marquer la fin de la vallée.

ڎ ڠ

« Eh bien, mon vieux, pour une réussite, c'est une réussite, commente Maha avec une ironie amicale. C'est ça, Afqa ? »

Ils se tiennent au bord du vide, à l'extrémité d'une falaise qui tombe à la verticale d'une hauteur vertigineuse. Le sol, en bas, semble prodigieusement loin. Du flanc de la falaise, quelque part sous eux, jaillit une source qui donne naissance au Nahr Ibrahim, le fleuve d'Adonis.

« Admets que le paysage vaut le coup d'œil, rétorque Karim. Regarde ce torrent qui se précipite au bas de la falaise, cette vallée qui se fraie un passage jusqu'à la mer, ces villages accrochés çà et là aux pitons rocheux, toute cette luxuriante végétation qui brille dans les feux du couchant.

— Tu devrais faire carrière dans la publicité, tu as du talent, constate Maha, qui ne peut s'empêcher d'admirer elle aussi le panorama qui s'étale à leurs pieds. Ces fleurs rouges, c'est quoi, à ton avis ? »

Les bords du Nahr Ibrahim, ainsi que les champs avoisinants, sont en effet constellés d'une multitude de fleurs rouges.

« Aucune idée, répond Karim, que les questions botaniques de Maha commencent à lasser. Des fleurs rouges. Pour ma part, je me demande surtout comment on va descendre d'ici.

— Il y a un sentier, plus bas, annonce Maha, dangereusement penchée au-dessus du vide. Si on pouvait l'atteindre… »

Mais déjà Karim la tire en arrière.

« Tu es folle ou quoi ? Tu tiens vraiment à faire un vol plané de plusieurs centaines de mètres avant de t'écraser sur le sol ? »

Maha hausse les épaules.

« Ne t'inquiète pas pour moi. J'ai le pied sûr.

— Occupe-toi plutôt de Jad et de Tête noire, pendant que je vais explorer les environs.

— Et pourquoi on tient absolument à descendre ? Un peu plus loin, on va encore devoir grimper. En suivant à peu près le bord de la falaise, on va finir par arriver à Aaqoura, d'où part la voie romaine. Et comme la voie romaine grimpe dans la montagne, on ne peut pas faire autrement que de tomber dessus. »

Karim sort la carte et l'examine avec attention.

« Tu as raison, finit-il par admettre. On peut essayer de suivre le bord de la falaise. Mais je crains que ce ne soit pas toujours possible. Dès qu'un cours d'eau va descendre de la montagne, il va nous couper le chemin.

— On verra bien. En attendant, moi, je commence à avoir faim. »

Après le repas, pendant que Jad boit goulûment son lait et que Tête noire broute tranquillement de longues herbes, Karim tire leur guide touristique du sac et le feuillette un moment.

«Des anémones», déclare-t-il soudain.

Maha lui jette un regard interrogateur.

«Tes fleurs rouges, ce sont sûrement des anémones. Écoute ça: *Né des amours incestueuses de Cinyras, roi de Chypre, avec sa fille Myrrha, Adonis était d'une beauté si extraordinaire qu'Aphrodite s'en éprit. Un jour qu'il chassait dans les forêts du Liban, un sanglier, envoyé par Mars, jaloux (peut-être ce sanglier était-il Mars lui-même), le chargea et le blessa mortellement. Avertie du malheur, la déesse se lance à sa recherche, parcourt en pleurs la montagne, trouve son amant, le soigne, mais ne peut l'arracher à une mort trop humaine. Sous ces ombrages d'Afqa où ils s'aimèrent pour la première fois, Adonis et Aphrodite échangent un dernier baiser. Du sang du jeune dieu, répandu sur la prairie, jaillissent des anémones...* C'est clair. Ces fleurs rouges éparpillées sur les berges, c'est le sang d'Adonis», conclut-il avec un grand geste en direction du fleuve qui serpente plus bas.

Maha, elle, a les yeux qui brillent.

« Tu te rends compte, des dieux se sont aimés ici. Ici. C'est fabuleux, c'est fantastique, c'est foudroyant, c'est…

— Ce que je trouve fabuleux, surtout, c'est qu'on parle aussi de sangliers. Tu nous vois, tomber nez à nez avec un sanglier ?

— Tu es sûr que ça s'appelle un nez, pour un sanglier ? » demande Maha, ravie de prendre enfin sa revanche.

Pour toute réponse, Karim se précipite vers elle en poussant d'affreux grognements et lui arrache Jad, qui, heureusement, vient de finir de boire.

« Un monstre ! crie Maha. Un monstre vient de m'enlever mon bébé ! Mais je vous en supplie, monstre, laissez-moi ma chèvre.

— Groïnk, groïnk !

— Laissez-moi aussi mes sachets de minestrone, mes boîtes de thon et mes dattes, de grâce, monstre, ne m'enlevez pas mon thon !

— Groïnk, groïnk !

— Cependant, si vous pouviez me débarrasser du sinistre jeune homme qui m'accompagne, je vous en serais fort reconnaissante.

— GROÏNK ! ! ! »

Le monstre, après avoir posé Jad par terre, se jette sur Maha et fait mine de la manger.

« Groïnk, pas mauvais cet arrière-goût de thon, oui, ça rachète le restant, groïnk. »

Et le monstre, l'air repu, se laisse choir à côté de Maha qui rit aux éclats.

ڊ ڇ

« Si nous passons la nuit au début de la voie romaine, estime Karim, nous avons une chance d'arriver à Chlifa demain en fin de journée. »

Aussi se hâtent-ils le long de la falaise, dans l'espoir d'atteindre la voie romaine avant la nuit.

« Comme tu l'as si bien dit, poursuit Karim, on ne peut pas la rater, puisqu'elle passe au creux d'une vallée qui va couper notre route. J'espère juste que la descente va être moins abrupte que la falaise au-dessus de la grotte d'Afqa. »

Ils se hâtent donc, mais s'essoufflent vite à monter, à descendre, à guetter les trous, les ronces, les rochers, à porter Jad, à tirer Tête noire. Ils s'acharnent pourtant, car le soir tombe, il va bientôt faire noir, et ils sont bien décidés à camper près de la voie romaine.

« Ça ne devrait plus être très loin », marmonne Karim qui, au même moment, trébuche sur une grosse racine. C'est lui qui porte Jad, et il jette les mains en avant pour protéger le bébé en tombant. Résultat : deux mains écorchées et un bébé intact mais réveillé et hurlant. L'heure de son biberon est passée depuis un moment, mais les marcheurs n'ont pas voulu s'arrêter, ce qui aurait ralenti leur progression. Tant qu'il ne pleure pas…, se disaient-ils.

« Ça va, ça va, on va te le préparer, ton biberon. »

Avec l'eau qui reste, Maha prépare du lait, et Karim nettoie les éraflures de ses mains. Il n'en mourra pas, c'est sûr, mais ça chauffe. Où diable peut bien être cette vallée ? L'auraient-ils ratée ? Impossible, on ne rate pas une vallée aussi prononcée. Et ils n'ont sûrement pas tourné en rond, ils ne se sont pas éloignés du bord de la falaise. Alors ?

Alors ils reprennent leur route dès que Jad a été abreuvé et changé. Karim ouvre la voie, lampe de poche en main, et Maha le suit. Elle porte Jad, tire Tête noire et espère de tout cœur que la vallée va bientôt se manifester.

« Je n'aime pas signaler ainsi notre présence par un rond de lumière, déclare soudain

Karim, les sourcils froncés. Qui sait qui peut nous observer ?

— Éteins la lampe et installons-nous ici pour dormir, suggère Maha.

— Non. Pas avant d'avoir atteint la vallée », s'obstine Karim.

Ils marchent, un pas à la fois, encore et encore. « Trois cent huit, trois cent neuf, trois cent dix…, compte Maha dans sa tête. Non, mille trois cent dix. Non. Oh, et puis tant pis. »

Enfin, dans le faisceau lumineux de sa lampe, Karim voit le terrain s'incliner brusquement.

« C'est la vallée, Maha ! C'est la vallée ! » chuchote-t-il d'une voix excitée. Il n'ose pas parler trop fort. Il ne sait pas à quelle distance se trouve le village chrétien d'Aaqoura, et il ne veut surtout pas qu'on les entende.

La pente est abrupte, mais pas impraticable. Des cailloux roulent parfois sous leurs pieds fatigués, mais ils ne s'en préoccupent même pas. Ils veulent descendre, c'est tout, trouver un lieu sûr pour planter la tente et dormir, dormir. Jusqu'à ce qu'il soit l'heure de se lever, demain matin, et de marcher encore, toute la journée, avant d'arriver à Chlifa.

« On s'installe ici ? demande Maha quand ils atteignent enfin le fond de la vallée.

— Non, je m'enfoncerais un peu plus vers la montagne, répond Karim. J'ai l'impression que nous sommes très près de la route, ici. Ce serait bête que quelqu'un nous aperçoive au lever du jour. »

Maha pousse un soupir. Karim a raison, bien sûr. Mais elle a tellement hâte de s'arrêter.

Elle rajuste le châle dans lequel se trouve Jad et qui a glissé légèrement vers l'avant. Pour ce faire, elle lâche un court instant la corde à laquelle est attachée Tête noire. La chèvre profite de ces secondes de négligence pour se sauver.

« Tête noire ! Tête noire ! Reviens ! »

Et Maha s'élance à la suite de la chèvre qui s'éloigne dans la nuit.

Karim, qui cherche encore à s'orienter, se tourne avec impatience dans leur direction.

« Ce n'est pas le temps de… »

Un bruit fulgurant couvre la fin de sa phrase. Une explosion a déchiré la nuit, et l'écho se répercute le long de la vallée.

« Maha ! hurle Karim. Maha ! »

Et il court comme un fou dans la direction prise par la fillette.

«*El-hamdou li'llah*! souffle Karim. Dieu soit loué!»

Dans le faisceau de sa lampe de poche, Karim vient d'apercevoir Maha qui court dans le noir, les bras tendus vers l'avant.

En entendant Karim, elle s'arrête et se tourne vers lui. Aveuglée par la lampe, elle ferme les yeux. Son petit visage triangulaire est sillonné de larmes.

« C'est Tête noire, articule-t-elle d'une voix blanche. Je l'ai vue… je l'ai vue exploser. Il faut la sortir de là!»

Et elle reprend sa course aveugle.

Karim, d'un bond, est près d'elle et lui saisit le bras avec brutalité.

« Tu es complètement folle ! Pour autant qu'on sache, le terrain est un véritable champ de mines. Tu risques de sauter toi aussi en tentant de la rejoindre. Et tu voudrais faire quoi, de toute façon ? Elle est morte, éclatée, éventrée, déchiquetée. Tu ne peux rien pour elle. »

Mais Maha ne l'écoute pas. Elle est déchaînée. À coups de pied, à coups de poing, elle se débat avec une rage féroce. Elle le griffe au visage, lui mord une main, tente par tous les moyens d'échapper à la poigne qui la retient.

« Lâche-moi, lâche-moi, lâche-moi ! » hurle-t-elle, au bord de l'hystérie.

Et elle plante de nouveau ses petites dents pointues dans la main du garçon.

Karim n'hésite plus. Aux grands maux les grands moyens, se dit-il avant d'assener une gifle retentissante sur la joue de Maha.

Sonnée, celle-ci vacille et cesse de se débattre. Les larmes débordent de plus belle de ses yeux égarés, et elle murmure :

« Il faut que j'aille la chercher, il faut que je la trouve, il faut que je l'enterre. Il le faut, tu m'entends, il le faut. On ne peut pas la laisser là comme une bête.

— Mais *c'est* une bête, riposte Karim avec force. C'est une bête ! Et je ne te laisserai pas risquer ta vie, ta vie et celle de Jad, pour une bête. Tu m'entends ? À présent tu vas venir avec moi. Avec ce boucan, je m'étonne que tout le village ne soit pas déjà arrivé en courant. Et s'ils arrivent, je ne veux pas qu'on soit dans les parages. Je ne sais pas qui a posé cette mine, ni pourquoi, mais je ne suis pas sûr de vouloir rester ici pour l'apprendre. Viens. »

Maha se laisse entraîner sans résister. Elle n'y met aucun enthousiasme, aucune énergie, mais elle avance, c'est déjà ça.

Karim n'ose pas rallumer la lampe de poche, de peur d'attirer l'attention. Ils avancent donc à l'aveuglette le long de ce qu'il imagine être la voie romaine. Ce soir-là, la lune n'est pas au rendez-vous. Karim ne sait pas s'il doit le déplorer ou s'en réjouir. On n'y voit rien, mais les autres ne nous voient pas non plus, se dit-il.

Au bout d'un moment, il s'arrête, tend l'oreille. Pas un son, sinon les bruits toujours un peu inquiétants de la nuit. Peut-être une rumeur, au loin, mais il n'arrive pas à déterminer s'il s'agit de voix humaines ou du murmure d'un torrent.

Du bout du pied, il tâte le sol. Il quitte le sentier, une main tendue vers l'avant, l'autre toujours fermement serrée autour du coude de Maha, et se dirige vers une masse sombre, à droite, qui ne peut être qu'un bouquet d'arbres.

Sous le couvert des arbres, il se risque à allumer la lampe de poche, en prenant bien soin de diriger le faisceau vers le sol. Il trouve un endroit suffisamment dégagé pour planter la tente, s'empresse de monter celle-ci, y installe Jad et s'apprête à y faire entrer Maha quand celle-ci se met à parler.

Les mots sortent de sa bouche comme le sang sort d'une blessure. Doucement mais inexorablement.

« Elle était vivante et puis elle est morte. Combien ça prend de temps, dis, entre la vie et la mort ? Entre le moment où on sourit, où on parle, où on marche, où on rêve, et le moment où on n'est plus rien qu'une carcasse rigide, froide, inutile ? Toi qui sais tout, peux-tu me dire cela ? Elle était vivante et puis elle est morte. Je l'ai vue, la tête éclatée, le dos brisé, les membres disloqués. À ce moment-là, pour la première fois, j'ai été remplie d'amour pour elle. D'amour et de pitié, d'une formidable pitié. Et puis ils l'ont tournée, et j'ai vu ses seins magnifiques, intacts. Et là j'ai été jalouse, tu te rends compte, une fois de plus j'ai été jalouse de ma sœur. J'ai été jalouse d'une morte, peux-tu comprendre cela, d'une morte ! »

Elle se tourne brusquement vers lui et se met à lui marteler la poitrine de ses petits poings durs. Et quand elle se remet à parler, c'est d'une voix au bord des cris, au bord des hurlements.

« Toujours, j'ai été jalouse de Nada, du plus loin que je me souvienne. Elle était tellement belle, tellement douce, tellement aimable et souriante. Tellement tout, quoi. Tellement tellement. Et elle se délectait de sa beauté et de sa douceur. Elle trouvait ça normal, que tout le monde la regarde et la flatte, normal que tout le monde l'aime, normal que tout le monde la cite en exemple. Et moi, tout ce temps, j'étais malade de jalousie, malade de méchanceté, malade à en crier. J'aurais voulu la voir souillée, ou humiliée, une fois, une seule fois. Pour avoir une chance, moi aussi. Pour que tout le monde cesse de la regarder, elle, et ses cheveux, et ses hanches, et son visage de madone, et me regarde moi, une fois, une seule fois. Pas juste pour me traiter de menteuse et de voleuse, mais pour me voir, moi. Une fois, une seule fois. »

Maha ferme les yeux, comme devant une vision insupportable.

« Et puis elle est morte. Elle a été brisée, souillée, disloquée, *et ça n'a rien changé*. J'ai continué à être malade de jalousie. Mais en même temps, l'horreur de tout ça cogne dans ma tête et mon ventre, sans arrêt, sans arrêt. Je me dis, ce n'est pas possible, ce n'est pas possible que toute cette beauté, que toute cette perfection n'ait servi à rien. Ce n'est pas possible que ce corps n'ait servi à rien. Tu te rends compte, la plus belle fille du monde, et elle n'aura jamais connu l'amour. Toute cette beauté gâchée, perdue. Et moi je suis toujours là, moi, le monstre de jalousie et de méchanceté ! Tu ne trouves pas ça drôle, dis ? Tu ne trouves pas ça horriblement drôle ? »

Et Maha s'effondre. Son corps frêle est secoué de sanglots. Elle continue de répéter qu'elle est un monstre, un monstre, en griffant le sol de ses doigts rageurs.

Karim est resté figé tout le temps qu'a duré cette explosion de rage et de désespoir, ce déferlement de bile noire et mauvaise. Il ne sait quoi dire, quoi faire.

Finalement, il se penche sur la petite silhouette prostrée, il lui effleure le dos, il dit :

« Cesse de te faire du mal… C'est fini, tout ça. Tu n'es pas un monstre, voyons. Tu… »

Maha se redresse et le défie du regard.

« Mais toi aussi tu préférerais que ce soit elle et pas moi qui fasse ce voyage avec toi. Ose donc dire le contraire ! »

Le garçon est pris de court.

Non, il ne peut pas dire le contraire. Mais il rejette de tout son être la conclusion à laquelle est arrivée Maha.

« Il ne s'agit pas de choisir entre elle et toi, commence-t-il avec toute la conviction dont il est capable. Ce que je voudrais, c'est que vous soyez vivantes toutes les deux, et que cette guerre n'ait jamais eu lieu, et que nos plus grandes préoccupations, ce soient un examen de physique ou un poème à écrire pour le cours de français. Mais ce n'est pas le cas. On est ensemble depuis quoi, deux jours, trois jours, j'ai choisi de venir avec toi, et je ne regrette pas ma décision. Maha, écoute-moi. Tu es courageuse, débrouillarde, intelligente ; tu t'occupes de ton frère d'une façon fantastique ; tu es sensible et drôle. Je n'ai pas l'habitude de filles comme toi. J'ai du mal à te suivre, mais tu me fais du bien. Tu… Oh, je ne sais pas, je ne sais plus. Mais arrête de te faire du mal. Arrête de t'accuser de toutes ces choses. Tu n'es pas un monstre de jalousie et de méchanceté, comprends-tu ? Tu étais jalouse de Nada, et alors ? Tout le monde est jaloux de quelqu'un d'autre, un jour ou l'autre. Tout le monde nourrit des pensées noires un jour ou l'autre. C'est comme ça. Toi, tu as eu la malchance que ta sœur soit morte au moment où tu lui en voulais. Mais ce n'est pas ta faute, tu m'entends ? Pas ta faute. Et cesse de te torturer avec ça. »

Pendant que Karim parlait, Maha a cessé de griffer la terre de ses mains nues, de se meurtrir les doigts sur les cailloux acérés. Elle dévisage le garçon, avec des yeux démesurément grands, infiniment malheureux, mais au fond desquels tremble une goutte d'espoir incrédule.

« Ils l'ont prise et ils l'ont emmenée. Ils les ont emmenés, elle, mes parents et ma tante Leïla, et ils les ont jetés dans un trou, quelque part, je ne sais même pas où. Ils ont jeté Nada dans un trou, avec son corps brisé, ses seins intacts, ses cheveux comme un voile noir. Ils l'ont couverte de terre, ils l'ont cachée, cachée à tout jamais, et je ne sais même pas où. Elle est en train de pourrir quelque part sous la terre, et jamais plus je ne la verrai, jamais plus je ne lui parlerai, jamais je ne pourrai lui dire que je l'aime. Je croyais que je la haïssais, mais je l'aime, même si je la déteste d'être morte avant que je puisse le lui dire. Oh Nada, Nada, Nada… »

Karim entoure de ses bras le petit corps frémissant. Il y a quelques années, en classe, il a étudié le livre *Le Petit Prince*, de Saint-Exupéry. Une phrase de ce livre lui revient brusquement en mémoire. « Il me semblait porter un trésor fragile. Il me semblait même qu'il n'y eût rien de plus fragile sur la Terre. » Voilà que ces mots ne sont plus seulement des mots dans un livre. Ils ont pris chair, la chair frissonnante et fragile d'une petite fille meurtrie. Karim la berce, il lui caresse le dos, il murmure des mots doux et apaisants, de ceux qu'on chuchote aux petits enfants pour les consoler.

Il voudrait pleurer.

Karim fait un rêve troublant et déli-cieux.

Il est lové contre une femme dont il caresse la poitrine. Une merveilleuse sensa-tion de bien-être l'envahit.

Quelque part, un bébé se met à pleurer.

Aussitôt, Karim est en alerte.

Ce n'est pas un rêve, c'est la réalité.

Avec un choc, Karim se rend compte qu'il est couché contre Maha et que sa main, en effet, forme comme une coupe autour d'un sein menu. La honte envahit le garçon. Et, aussitôt après, à la honte s'ajoute l'hor-reur quand, en dépit de sa volonté, sa main s'arrondit en une fugitive caresse avant de s'arracher à la douceur du sein tiède.

Il se fait l'effet d'un satyre, d'un vieux salaud qui profite d'une enfant endormie.

Pourvu que Maha ne se soit rendu compte de rien !

Karim jette un coup d'œil rapide au visage de Maha et sursaute en découvrant le regard de la fillette posé gravement sur lui. Si la honte tuait, il serait déjà mort.

« Je… je m'excuse, balbutie-t-il. Je ne l'ai pas fait exprès, je te le jure. Ça ne se reproduira pas. Nous… nous sommes tombés endormis à même le sol, cette nuit, et… »

Il ne sait pas trop comment finir. Toutes les explications du monde ne suffiraient pas à excuser cette faiblesse de son corps, cette trahison indigne de la confiance que lui accordait Maha.

Celle-ci continue à se taire en le dévisageant de ses yeux immenses. Elle a le visage barbouillé de terre et de larmes séchées, les ongles noirs et abîmés, les mains écorchées. Elle est l'image même de la désolation. Et lui, Karim, a profité de son sommeil !

« Ne me regarde pas comme ça, implore-t-il. Je t'en supplie, ne me regarde pas comme ça. Je te jure que ça ne se reproduira pas. »

Enfin Maha ouvre la bouche. Mais les paroles qui tombent de ses lèvres déconcertent encore plus le garçon.

« Pourquoi tu t'es écarté de moi avec une telle horreur ? demande Maha de sa voix claire et précise. Est-ce qu'ils sont si horribles, mes seins ? Et si ça avait été ceux de Nada, est-ce que tu aurais pris cet air dégoûté ? »

Soudain, Karim en a assez de cette petite fille jalouse et exigeante. Assez de ses questions et de ses tortures. Assez de ses contradictions.

« Tes seins ? crie-t-il d'une voix mauvaise. Quels seins ? Tu n'as même pas de seins ! »

Maha vacille comme sous l'effet d'un coup. Son visage devient dur et froid. Ses yeux sont d'un calme effrayant.

« Tu veux savoir ce qu'elle a écrit, Nada, au sujet du baiser que tu lui as donné ? "Pas mal, mais moins excitant que celui de Rachad. À vrai dire, Karim est parfait mais un peu ennuyeux. Dommage, il a pourtant de beaux yeux." »

Sur ces mots, Maha se lève et va chercher Jad qui hurle à tue-tête dans la tente.

ﺩ ﻉ

Ils mangent, défont la tente, reprennent leurs sacs. Tout cela dans un silence lourd, imprégné de rancœurs.

L'ancienne voie romaine qu'ils sont en train de suivre relie les villages d'Aaqoura et de Yammouné, de part et d'autre du mont Liban, dont elle franchit l'échine par un col à 2000 mètres d'altitude. La voie s'enfonce entre des massifs impressionnants, parmi les plus hauts du pays, aux sommets généralement enneigés. Au nord, le Dahr el-Qadit, au pied duquel poussent les derniers cèdres du Liban, symboles millénaires de ce pays de montagnes. Derrière le Dahr el-Qadit, le Qornet es-Saouda, le point culminant du pays. Au sud, le Jebel Sannine, moins haut, mais quand même grandiose.

La montée est rude. Le silence est bientôt rompu par le bruit de leurs souffles précipités, par l'occasionnel raclement d'un caillou qui roule sous leurs pas. Dans la tête de Karim résonnent des mots durs, des mots méchants, même. « …moins excitant que celui de Rachad » « Pas mal, mais… » « …un peu ennuyeux. » Nada a-t-elle vraiment écrit cela ou Maha a-t-elle tout inventé pour se venger ? Maha, l'indiscrète, la menteuse. Maha, la malheureuse, la désespérée. Et quelle importance, à présent ? Karim constate avec tristesse que le souvenir de Nada s'est estompé dans son esprit. La blessure est encore présente, ainsi que les regrets, mais ils sont moins vifs, moins aigus.

Au bout d'un temps impossible à déterminer – deux heures, cinq heures ? –, ils atteignent le col. Jusqu'à présent, ils ont grimpé. Maintenant, le sentier descend sans arrêt jusqu'à Yammouné, puis jusqu'à Chlifa. Ils ont réussi à se hisser jusqu'au cœur du mont Liban, jusqu'à l'épine dorsale du pays. Curieusement, Karim n'en tire aucun sentiment de triomphe. Seulement un immense soulagement.

Ils laissent tomber leurs sacs, déposent Jad par terre, au pied d'un gros rocher. Maha sort le réchaud, verse de l'eau dans la petite casserole.

« Je vais faire un tour par là », annonce Karim en désignant la montagne qui s'élève à leur gauche.

Maha relève la tête brusquement.

« Tu nous abandonnes ?

— Je ne vous abandonne pas, je vais juste faire un tour un moment. Je redescends tout de suite après. Il n'y a pas de quoi faire un drame. »

Maha se mord les lèvres. Elle semble désemparée, tout à coup.

« Reviens vite, murmure-t-elle.

— Je reviendrai quand je reviendrai », réplique Karim d'une voix agacée avant de s'éloigner.

ﺱ ﻉ

Il a été pris du désir subit et impérieux de grimper encore plus haut, de se tenir au faîte du monde, ou, plus modestement, de dominer du regard la largeur du pays. C'est possible, il le sait. Des paroles de son père lui reviennent en mémoire : « … l'indicible sentiment de puissance que l'on éprouve à embrasser du regard le pays tout entier, ou presque, des rives de la Méditerranée aux contreforts de l'Anti-Liban. » Lui, Karim, veut à son tour se tenir au sommet du monde. Il veut lui aussi apercevoir la mer d'un côté et l'Anti-Liban de l'autre, il veut jeter un premier coup d'œil à la Beqaa, cette immense plaine baignée de lumière qui s'étend entre les deux chaînes de montagnes, celle du mont Liban et celle de l'Anti-Liban. Il veut surtout grimper et oublier ce qui se passe plus bas.

Il s'élève peu à peu au-dessus du col. Les arbres se font plus rares. Des plaques de glace, des creux encore tapissés de neige apparaissent. Karim grimpe lentement, en s'aidant de plus en plus souvent de ses mains. Les écorchures de la veille se rappellent douloureusement à son esprit. De temps en temps il se redresse, jette un regard autour de lui. Il ne voit plus Maha et Jad, dissimulés derrière les arbres serrés au bas de la pente. Il ne voit pas encore la mer ni la Beqaa. Où qu'il porte les yeux, il n'aperçoit que des montagnes aux croupes arrondies et enneigées. Il progresse à présent sur la neige. Il pense à Maha, qui rêve de faire l'ange dans la neige. Il n'est pas sûr que cette neige conviendrait. Trop dure, trop compacte. Maha…

Tout en cassant la croûte neigeuse à l'aide de ses talons puis en y enfonçant prudemment les pieds, de façon à pouvoir continuer à grimper, Karim revoit la scène du matin. Son réveil troublant, sa honte, sa flambée de colère contre Maha. En réalité, c'était à lui-même qu'il en voulait. Les mots qu'il a lancés à Maha retentissent de nouveau dans sa tête. « Tu n'as même pas de seins ! » Alors qu'il venait justement de découvrir qu'elle en avait. « Tu n'as même pas de seins ! » Alors qu'il venait d'être troublé par eux.

«Et alors? murmure-t-il à présent en essayant de se justifier. Je n'allais quand même pas me mettre à la peloter pour lui remonter le moral? Il y a des limites à la charité.»

Mais il sait qu'il est de mauvaise foi. Il sait qu'entre la peloter «par charité» et lui crier des horreurs, il aurait pu trouver quelque chose, autre chose, pour la rassurer. Mais il n'a pensé qu'à lui.

«Je suis une ordure. Je me suis déchargé sur Maha de l'horreur que je ressentais pour moi-même. Je l'ai attaquée dans ce qu'elle a de plus fragile parce que je me haïssais moi-même. Décidément, je suis un beau salaud.»

Il se promet de s'excuser, en redescendant. Ce serait trop bête de terminer le voyage sur cette note hargneuse, d'effacer les moments de camaraderie et de confiance. Ils viennent de trop loin, tous les deux, pour se quitter en ennemis.

Soudain, Karim a hâte d'être auprès de Maha. Il est impatient de lui parler et de dissiper les malentendus. Il a besoin de son sourire, de son pardon, de son amitié claire et droite.

Il s'arrête encore pour regarder autour de lui. Cette montée n'en finira donc jamais?

Plus il grimpe, plus il a l'impression d'être loin du sommet. Il ne vise pas le sommet, bien sûr, seulement un point d'où il pourra embrasser toute la région du regard, mais même ce point semble se dérober, reculer insensiblement à chacun de ses pas. Depuis combien de temps est-il parti ? Depuis combien de temps Maha l'attend-elle ? Devrait-il continuer ou, au contraire, rebrousser chemin ?

C'est pendant qu'il s'interroge ainsi que le cri monte jusqu'à lui. Un cri perçant, effrayant, qui le glace jusqu'au cœur.

« Maha ! » hurle-t-il en retour.

Seul le silence lui répond. Un silence qui vibre encore des échos du cri terrible qui l'a ébranlé.

Karim se hâte à présent vers le sol, mais sa course est ralentie par la glace, la neige, les brusques dénivellations. Il glisse, se rattrape, glisse encore et tombe en se tordant une cheville. Il poursuit sa descente en boitant. « Maha ! » hurle-t-il à tous les trois pas. Mais seul le silence persiste à lui répondre.

ﺩ ﻉ

Il arrive enfin au col. Il voudrait courir vers le rocher où il a laissé Maha et Jad, mais ses jambes sont lourdes tout à coup, affreusement lourdes. Il a du mal à lever les pieds, et ça n'a rien à voir avec sa cheville tordue.

Il s'approche du rocher. Jad est là, couché sur le dos, qui agite les jambes et les bras en gazouillant.

« Maha ! lance Karim d'une voix rauque. Maha, où es-tu ? Si c'est une blague, elle n'est pas drôle. »

En même temps, il espère follement que c'est une blague et que Maha va surgir de derrière un arbre en criant : « Je t'ai bien eu. »

« Maha ! »

Mais Maha ne surgit de nulle part.

Karim contourne le rocher près duquel Jad continue à gazouiller. Il a les jambes de plus en plus lourdes, et le cœur qui bat à grands coups douloureux.

Il aperçoit alors Maha et, aussitôt, il sait que ce n'est pas une blague. Pas une blague, le corps à moitié nu abandonné derrière le rocher. Pas une blague, le mince filet de sang le long d'une cuisse. Pas une blague, le flot rouge qui s'échappe d'une gorge tranchée.

Le garçon tombe à genoux dans les cailloux. Il s'agrippe aux herbes qui poussent à travers les pierres. Il se retient à la terre pour s'empêcher de sombrer dans un immense trou noir, dans l'horrible tourbillon qui veut l'aspirer.

Et le hurlement qui s'échappe de sa gorge réveille tous les échos de la montagne. Un hurlement de rage, de douleur, de désespoir, qui s'enfle et se gonfle et se heurte aux parois des montagnes, encore et encore, formidable et impuissant.

Ni la douleur ni le désespoir n'empêchent le monde de tourner, les oiseaux de chanter, les torrents de couler. Karim, lui, continue de respirer, de marcher, de bouger les jambes et les bras, de faire les gestes que font les vivants.

Il a couvert la nudité de Maha. Il a enroulé une écharpe autour de la gorge mutilée. Il a, tant bien que mal, arrimé Jad sur son dos. Et il s'est mis en route, portant Maha dans ses bras, après avoir abandonné leurs sacs maintenant inutiles. Il n'a gardé que la photo de la famille Tabbara, la photo d'une famille heureuse autour d'un nouveauné, et la carte postale de la Dame à la licorne. « Où tu es, j'espère qu'il y a des licornes, de la musique… et des chèvres à tête noire », a murmuré Karim avant de ranger la carte postale dans la poche arrière de son jean.

Le sentier descend en pente raide jusqu'au lac de Yammouné, à présent asséché. Karim avance comme en rêve avec son double fardeau. Il ne voit pas où il met les pieds, et il bute parfois contre une pierre qui affleure. Des cailloux roulent sous ses pas, mais il ne s'en aperçoit même pas. Il avance, une jambe à la fois, interminablement, en s'efforçant de secouer le moins possible son précieux fardeau. Ses bras s'engourdissent. Il ne sait plus si Maha est lourde ou légère. Il a parfois l'impression de porter un oiseau blessé, une fragile et légère boule de plumes douces et ébouriffées. Mais, par moments, l'oiseau si léger s'alourdit, et Karim craint alors de laisser échapper ce corps qui pèse comme du plomb sur ses bras. Il bande ses muscles, raidit ses bras, empoigne plus fermement le corps encore tiède de la fillette. Il faut qu'il continue. Il est presque au terme de leur marche vers Chlifa.

Il n'a aucune notion du temps qui passe. Il sait seulement qu'à un certain moment il aperçoit la flèche d'une église, le minaret d'une mosquée. C'est Yammouné, un village fier, farouche même, a-t-il entendu dire.

Des gens – des guetteurs ? – l'ont vu venir, et, bientôt, quelqu'un s'avance vers lui. C'est un vieillard aux traits profondément burinés, aux yeux attentifs.

« *Es-salâm aleïkoum*, mon fils. Que la paix soit sur toi. Tu viens d'au-delà de la montagne ?

— Oui.

— D'Aaqoura ?

— De Beyrouth.

— Et tu vas où ?

— À Chlifa.

— Chlifa. Oui. »

Puis le vieillard désigne Maha.

« Elle est morte ?

— Oui.

— Qu'est-ce qui s'est passé ?

— Un homme, des hommes peut-être. Au niveau du col. Je ne sais pas.

— Tu n'y étais pas ?

— Non.

— Où étais-tu ? »

Karim n'en peut plus de fatigue. L'immobilité est plus épuisante que la marche. Il vacille et s'écroulerait sans doute de tout son long si le vieillard ne le retenait pas.

Derrière, des femmes se sont mises à pousser de grandes lamentations. Karim ne peut s'empêcher de se demander pourquoi elles crient ainsi. Elles ne connaissaient même pas Maha. De quel droit pleurent-elles sa mort ? La mort de Maha lui appartient à lui. Ces femmes n'ont pas le droit de l'en déposséder.

« Dépose-la ici », indique le vieillard en lui désignant une pièce d'étoffe blanche à ses pieds. Karim ne sait pas comment cette étoffe est arrivée jusque-là.

Il dépose Maha. Aussitôt, il se sent atrocement seul.

Il lève les yeux vers le vieillard.

« J'étais plus haut, dit-il enfin en réponse à la question du vieil homme. Je n'étais pas là. Elle était seule avec un bébé. Je l'ai abandonnée. »

Le vieillard ne répond pas tout de suite. Il regarde le corps étendu à ses pieds.

« Ceux qui l'ont tuée, ce devaient être des hommes d'Aaqoura. Des chrétiens. Ce sont nos ennemis depuis le début des temps.

— Ou des Syriens, avance un autre homme, un peu en retrait.

— Ou des hors-la-loi, des braconniers, des voleurs, suggère un autre. La montagne a toujours servi de refuge aux hors-la-loi. »

Pourquoi pas des Israéliens ? songe Karim avec dérision. Ou des chefs du Hezbollah ? Ou des Palestiniens ? Ou le dieu Mars, descendu du ciel pour la circonstance ? Ou l'un d'entre vous, qui m'observez avec tant d'attention ? Qu'importe l'identité ou la nationalité des tueurs ? Elle est morte, c'est tout.

Au fond de lui, il sait bien qui est responsable de sa mort. Maha n'est pas morte d'un coup de couteau au travers de la gorge. Elle est morte d'abandon et de paroles chargées de haine. Celui qui l'a tuée, c'est lui, Karim.

ں ع

« Elle voulait aller à Chlifa, elle va aller à Chlifa. » Voilà ce que Karim a répété avec obstination au vieillard qui proposait d'enterrer Maha chez eux, à Yammouné.

Le vieillard s'est incliné.

Pendant que des femmes s'occupaient de Jad, des hommes sont allés chercher une charrette bringuebalante, sur laquelle ils ont allongé Maha.

« On pourrait aussi y installer le bébé »,
a suggéré Ahmed, le vieillard. Mais Karim a
refusé. Il va porter Jad jusqu'au bout, jusqu'à
Chlifa.

Un pitoyable convoi s'est mis en branle
pour Chlifa, situé à une dizaine de kilomètres
de là. La charrette, tirée par un âne rachi-
tique ; Karim, qui porte Jad ; quelques
hommes armés de longs fusils.

Ils suivent les pavés inégaux de la voie
que les Romains, il y a fort longtemps, ont
tracée entre Baalbek et Yammouné. Sous les
yeux de Karim s'étale enfin la plaine de la
Beqaa, immense et lumineuse, mais le garçon
la remarque à peine, pas plus qu'il ne
remarque les fleurs qui déjà se fanent dans la
chaleur de l'été ou la grosse tortue qui les
regarde passer avant de se réfugier sous sa
carapace. Il a les yeux fixés sur la charrette
qui, quelques pas devant lui, avance en caho-
tant, sur la forme blanche qui a été Maha.

Le soleil a déjà disparu de l'autre côté du
mont Liban quand ils atteignent Chlifa,
minuscule village niché dans l'ombre au pied
des montagnes.

À peine les paroles rituelles de bienvenue
ont-elles été échangées que Karim demande
à voir le vieil Elias.

«Le vieil Elias ? répète, surpris, celui qui les a accueillis. Quel vieil Elias ?

— Un vieil homme, natif de ce village, qui y est revenu il y a quelques années après avoir habité longtemps à Beyrouth. Sa femme s'appelle Zahra. »

Un moment de silence suit la réponse de Karim.

Celui-ci a l'impression que le village tout entier le dévisage avec des yeux ronds de curiosité.

« Nous sommes bien à Chlifa ? demande-t-il enfin.

— Oui, répond l'homme qui se tient devant lui. Mais celui que tu cherches, le vieil Elias, est mort il y a six mois, et sa femme l'a rejoint quelques semaines plus tard. Tu arrives trop tard, mon fils.

— Mais...

— Cette femme, là-bas, c'est leur nièce, Fatima. Elle va pouvoir te renseigner mieux que moi. »

Les mots tournent dans la tête de Karim. Morts, six mois, Fatima.

Si le vieil Elias et sa femme sont morts six mois plus tôt, les parents de Maha n'ont donc pas pu envisager d'envoyer leurs enfants auprès d'eux. Maha a-t-elle inventé cette histoire ? A-t-elle décidé de partir, coûte que coûte, sans savoir ce qu'elle trouverait au bout du chemin ? Ou bien avait-elle simplement décidé de lui mentir, une fois de plus ?

Des mots prononcés par Maha, la nuit où ils se sont installés parmi les pierres de lune, lui reviennent à l'esprit. « Quand je dis quelque chose, j'ai souvent l'impression que je pourrais dire le contraire et que ce serait aussi vrai. » Les mensonges. La vérité. Qu'est-ce que c'est, au juste ? Des mots et leur contraire. L'endroit et l'envers des choses, aussi réels l'un que l'autre ? Aussi « vrais » l'un que l'autre ? Maha, Maha, tu m'as laissé beaucoup de questions, mais peu de réponses, gémit tout bas Karim avant de se tourner vers la nièce d'Elias et de Zahra, qui lui enlève Jad des bras et lui pose une question qu'il n'entend pas.

ﺩ ﻉ

Les préparatifs pour l'enterrement. Après une longue discussion, les anciens décrètent que Maha est morte *chahîd*, c'est-à-dire martyre, et que son corps ne sera donc pas lavé avant l'enterrement. On se contente de déposer le corps, enveloppé d'une étoffe blanche, directement dans un trou creusé dans la terre.

Karim assiste à la cérémonie sans y participer vraiment. Pendant la lecture du Coran, il parle à Maha dans sa tête. « Tu vois, lui dit-il, tu vois, pour toi, on respecte le rituel. Toi, on va savoir où tu es enterrée. Tu es ici, à Chlifa, à l'ombre d'un genévrier. Tu vois, je connais enfin le nom d'un arbre : genévrier. C'est un beau nom. Et c'est un bel arbre. Un gros arbuste, plutôt, avec des épines. Le genre d'arbre que j'aurais plutôt imaginé dans des pays nordiques. Mais, bon, il y en a un ici, et c'est à son pied qu'on t'a enterrée. Quand le vent s'insinue entre les branches, ça fait comme un murmure. Il va pouvoir te tenir compagnie, quand je serai parti. Parce que je vais partir, tu vois. Je… Bon, je vais partir, mais toi, il te restera le murmure du vent dans le genévrier. Est-ce que je t'ai dit que c'est beau, un genévrier ? Tu aimerais sa couleur. Il faut que je parte. Je n'ai rien à faire ici, tu vois. »

Il lui répète « tu vois, tu vois », à elle qui ne voit plus rien, pour essayer d'expliquer, pour s'excuser de l'abandonner, une fois encore.

L'un des hommes du village va les conduire au camp syrien le plus proche, Jad et
lui. Ensuite, Karim espère pouvoir aller à
Damas, la capitale de la Syrie, à moins de
cent kilomètres de là, d'où ils pourront
s'envoler vers l'Amérique, vers Montréal où
se trouvent ses parents.

Fatima, la nièce du vieil Elias, a proposé
de prendre Jad et de s'en occuper comme de
son propre fils, mais Karim a refusé.

« Non. Maha me l'a confié, en quelque
sorte. Je ne peux pas l'abandonner lui aussi.

— Et tes parents ? demande Fatima.
Qu'est-ce qu'ils vont dire en te voyant arriver
avec un bébé ? »

Karim hausse les épaules. Sa famille va
devoir accepter Jad, c'est tout.

À vrai dire, il y pense à peine. C'est si
loin, tout ça.

Pour le moment, toutes ses pensées sont
tournées vers l'instant où il devra s'éloigner
du genévrier, s'arracher à ce coin de terre où
Maha repose à jamais.

TROISIÈME PARTIE
LA VIE CONTINUE

Montréal, février-mai 1990

Je rêve à ce pays où l'angoisse
Est un peu d'air
Où les sommeils tombent dans le puits

Georges Schehadé

Journal de Karim
Montréal, un jour de février 1990

Bizarre comme on perd la notion du temps dans un lit d'hôpital. Bizarre aussi comme les souvenirs refluent. Ceux de là-bas et ceux de mes premiers mois ici, au Québec.

La tête de mes parents quand je suis descendu de l'avion avec un bébé dans les bras ! Si j'avais eu le cœur à rire, j'aurais ri en les voyant calculer vite, vite, vite dans leurs têtes. Neuf mois (plus ou moins) ajoutés à six ou sept mois (selon toute apparence), non, ça ne peut pas être son fils, c'est mathématiquement impossible. Ils ont soupiré de soulagement, mon père trois secondes avant ma mère. Il a toujours été plus rapide en calcul mental.

Évidemment, ils ont posé des questions. J'ai répondu, sans entrer dans les détails. Les Tabbara sont morts, sauf lui. J'étais sur place. Je l'ai pris. Je l'ai emmené. Un peu primaire, peut-être, mais mes parents ont accepté mon explication. Ils devaient vraiment être soulagés de me voir sain et sauf.

Je suis arrivé à Montréal en août. Je n'ai aucune idée de la date, même si je n'étais pas dans un lit d'hôpital. Les cinq ou six premiers mois, j'étais dans un vide complet. Dans une bulle qui m'isolait de tout, qui me protégeait. Je ne voyais rien, je n'entendais rien, je ne faisais rien. Si, quand même : je m'occupais de Jad. Heureusement qu'il était là. Sinon, je crois bien que j'aurais décroché complètement.

J'aimerais pouvoir dire que je réfléchissais, que je m'interrogeais sur le sens de l'existence, la vie et la mort, mais ce n'est même pas le cas. Je végétais. Mes parents ont bien essayé de me sortir de cette torpeur, de me faire bouger, de me faire découvrir le pays. Je ne voulais rien voir. Il paraît que l'automne est beau, par ici. Possible. Moi, je n'ai rien vu.

Finalement, après la folie collective que représente la fête de Noël, mes parents m'ont carrément obligé à fréquenter la polyvalente du quartier. Pas nécessairement pour que j'apprenne quelque chose. Plutôt pour me sortir de mon enlisement. Pour me faire réagir. Ça, pour réagir, j'ai réagi. Au-delà de tout espoir, même. Au point de me retrouver dans ce lit d'hôpital. Et de m'embourber malgré moi dans l'embrouillamini des « relations humaines », comme dit le prof de morale.

Il doit y avoir une leçon à tirer de tout cela, mais je suis trop fatigué pour y penser maintenant.

23 février

J'ai retrouvé la date. Je suppose que c'est bon signe.

Depuis que j'ai été transféré dans un hôpital de Montréal – le jour de la Saint-Valentin, comme me l'a si gentiment fait remarquer l'infirmière –, My-Lan est venue me voir tous les jours. « Mes parents vont finir par trouver que j'étudie beaucoup chez Sandrine », a-t-elle dit hier avec un petit rire.

Je commence à m'habituer à ses rires, à sa voix, à ses yeux en amande. J'ai plus de mal à m'habituer à tout le reste, à ce qui m'a fait la haïr au début. Son corps frêle, ses longs cheveux noirs, certaines de ses réflexions. Alors, quand elle vient, je me concentre sur son visage et sur sa voix. Je la fais parler.

Elle n'est pas très bavarde, et elle n'est pas du genre à s'étendre longuement sur ses problèmes et ses malheurs. Mais elle m'a quand même parlé de la guerre dans son pays, de la torture, des morts. Elle m'a décrit l'odyssée qu'a représentée son voyage jusqu'ici. Elle s'est rappelé ses premiers mois à Montréal, quand elle ne parlait pas un mot de français, quand tout lui apparaissait déroutant et souvent choquant.

Première constatation : je n'ai pas le monopole du malheur. C'est bête à dire, mais j'en étais presque venu à imaginer que j'étais le seul à connaître la souffrance et la mort. Rien que ça ! Non, mais, quelle prétention !

Deuxième constatation — en forme de question : ça donne quoi de se vautrer dans son malheur ? Je me rends compte que, pendant des mois, je me suis drapé dans mon malheur comme s'il s'agissait d'une vertu qui m'aurait autorisé à mépriser tout le monde. Qu'est-ce que je sais du malheur des autres ? De quel droit me suis-je permis de juger que seule ma souffrance était digne d'intérêt ?

Troisième constatation : vivre ou mourir, il faut choisir. To be or not to be, comme disait un dénommé Shakespeare. Je n'ai aucune idée de ce qu'il avait en tête en écrivant cela, mais il me semble que ça colle bien à ce que je suis en train de découvrir. Quand je me suis réveillé dans cet hôpital des Laurentides où on m'avait conduit, j'ai presque regretté de ne pas être mort. Il me semble à présent que ça ressemblait un peu à de la lâcheté. Je n'aime pas ce mot. Qui peut dire ce qui est lâche et ce qui ne l'est pas ? Ce qui est courageux ? Ce qui est admirable ? Tu avais raison, Maha : moi aussi, maintenant, j'ai parfois l'impression que je pourrais dire le contraire de ce que je dis, et que ce serait aussi vrai. Ça complique un peu les choses, mais ça n'enlève rien à leur intérêt. Ça aurait même tendance à leur en ajouter. Où en étais-je ? Vivre ou mourir. En fait, pendant six mois, j'ai été quelque chose comme un mort vivant. Je n'arrivais pas à choisir. J'ai essayé de vivre en marge des autres, en marge des souvenirs, des cauchemars et des remords. En marge de la vie. Ça ne pouvait pas durer.

Je ne sais pas encore pourquoi on vit. Je ne le saurai peut-être jamais. Mais il me semble qu'on n'a pas le droit de se laisser mourir. Ne serait-ce que par simple respect pour tous ceux qui meurent et qui auraient voulu vivre. Pour l'instant, ça me suffit comme raison. Vivre parce que Maha et Nada sont mortes. Et leurs parents, et leur tante Leïla, et tous les autres que je ne connais pas. Vivre pour que leur mort n'ait pas été inutile, pour ne pas les abandonner dans l'oubli. Vivre pour les faire connaître à Jad, qui vient de faire ses premiers pas, et c'est absolument merveilleux, les premiers pas d'un bébé. Oh, Maha, Maha, tu n'auras même pas vu les premiers pas de Jad !

28 février

De retour à la maison. Ce n'est pas encore la grande forme, je me sens même comme un vieillard rhumatisant et cachectique. Je ne sais pas vraiment ce que ça veut dire, cachectique, mais c'est un beau mot : Maha aurait adoré. Je me rends compte que je fais, comme ça, des provisions de mots, de sons et d'images pour elle.

Avec mon retour à la maison, les visites de My-Lan ont cessé. Ces visites me manquent plus que je ne l'aurais cru. J'ai besoin de My-Lan. Elle me sert de lien avec le monde. Elle m'a permis de faire le pont entre là-bas et ici. Ce n'est pas rien.

Mais ce n'est pas non plus la fin du monde, comme ils disent ici. Autrement dit, je ne suis pas amoureux d'elle, comme semblent le croire les infirmières (indulgentes), mes parents (soulagés – il n'est pas mort, il revient à la vie normale – mais inquiets – ça donne quoi, un mélange de Libanais et d'Asiatique?) et même Béchir, à qui j'ai envoyé un rapport succinct des dernières semaines et de mes prouesses en terre d'Amérique.

« Eh bien, mon vieux, m'a écrit Béchir en retour, tu ne t'emmerdes pas, au fin fond de tes forêts! Puis-je en conclure que je recevrai sous peu ta liste des vingt et une choses qui te plaisent dans ce pays et que cette liste commencera par "My-Lan"? Alors, elle est comment, ta petite amie? Puisque moi, je t'ai tout dit sur Lolote, j'espère que tu vas me rendre la pareille. Avec mes salutations désinvoltes, etc., etc., etc. »

Lolote! J'ai d'abord cru à une blague, mais il faut que je me rende à l'évidence: mon ami Béchir est amoureux d'une fille qui s'appelle

Lolote. C'est dur à avaler, mais tant pis, j'avale. C'est à cela qu'on reconnaît les grandes amitiés.

Trêve de balivernes. Non, je ne suis pas amoureux de My-Lan, ce qui ne m'empêche pas de l'aimer beaucoup et d'attendre avec impatience le moment où je la reverrai. C'est tout.

La vie continue. Presque comme avant. Mais dans ce « presque »-là, il y a tout un monde.

Évidemment, la Terre n'allait pas s'arrêter de tourner parce qu'une bagarre a éclaté et qu'un gars a failli en tuer un autre.

Il y a eu des tracasseries administratives et légales. Je suppose que c'était inévitable. Je ne connais pas les détails. Ça ne m'intéresse pas. Mais tout semble être rentré dans l'ordre assez rapidement. Il y en a qui disent que la famille de Karim n'a pas porté plainte et que toute l'affaire a été classée comme un « accident ». D'autres prétendent que Dave doit se présenter devant un juge (ou un policier, ou un psychologue, ou une travailleuse sociale, ça dépend des versions) à tous les deux (cinq, dix, trente, cinquante, alouette) jours. La vérité, c'est que personne ne connaît tous les détails de cette histoire.

Je m'en tiendrai donc, comme toujours, aux faits les plus sûrs.

Le retour de la classe-neige s'est fait dans l'ahurissement le plus complet. Une bagarre, un coup de couteau, un blessé grave. Nous avions du mal à digérer tout ça, à prendre conscience que ça s'était vraiment passé dans notre classe, entre des gars qu'on connaissait ou qu'on pensait connaître. Si je n'avais pas peur des grandes formules, je dirais que La Violence Venait De Faire Irruption Dans Notre Vie. Un beau titre en lettres rouges et noires.

Les jours suivants, tout le monde nous traitait comme des convalescents, avec des tas d'égards et beaucoup de ouate. Pas d'examens, pas de remontrances, pas de devoirs trop longs. On aurait dit qu'ils avaient peur de nous voir exploser les uns après les autres.

Dave est revenu en classe le premier. Un peu moins voyant que d'habitude. Pas entièrement assagi, non, il ne faut pas s'attendre à des miracles, mais moins pénible qu'avant.

Peut-être que c'est vrai cette histoire de juge, d'avocat ou autre. Ou peut-être qu'il a juste eu la peur de sa vie.

Karim n'est revenu qu'en mars. Lui, bizarrement, il est à la fois plus visible et moins voyant qu'avant. Il est plus présent, il participe plus aux activités, aux discussions. Je n'irais pas jusqu'à dire que c'est le boute-en-train de la classe, mais il se mêle au groupe. Il semble même de plus en plus copain avec Simon, qui est un des gars sympathiques de la classe. En revanche, il a perdu son air de prince du désert. C'est un peu dommage, mais je suppose qu'on ne peut pas avoir à la fois un personnage formidablement romanesque et un gars qui se montre enfin humain. Résultat : après la curiosité un peu morbide des premiers jours, tout le monde a cessé de guetter le moindre de ses gestes et de ses regards pour ne lui accorder qu'une attention normale. Même Nancy a renoncé à le séduire. Elle lui a sauté au cou dès son retour et a plaqué un long baiser sur la bouche du « héros », comme elle a dit, mais Karim n'a pas répondu avec beaucoup d'enthousiasme à son assaut. Elle en a conclu qu'il devait être gai. Ce que j'aime, chez Nancy, c'est la merveilleuse simplicité de ses raisonnements. Ça doit drôlement lui faciliter l'existence.

D'autres, par contre, sont persuadés que Karim éprouve un doux penchant pour My-Lan. D'abord parce qu'il s'est porté à son secours. Ensuite parce qu'il passe beaucoup de temps avec elle. Ça aussi, ça m'apparaît un peu simpliste comme raisonnement, mais, dans le fond, je n'y connais rien. Mieux vaut donc que je me taise à ce sujet.

Un dernier détail : Karim et Dave se comportent de façon civilisée l'un envers l'autre. Ils ne sont pas les meilleurs amis du monde (ce serait quand même assez étonnant), mais ils ne se tombent pas non plus dessus à bras raccourcis dès qu'ils se voient. Ils jouent même au soccer ensemble !

Si je devais résumer l'atmosphère de la classe, ou les changements qui se sont produits cette année, je dirais qu'on respire un peu mieux. Ce n'est pas le paradis sur terre, non, mais ce n'est pas non plus le lieu froid et factice où on cohabitait sans jamais se toucher et sans rien savoir les uns des autres. On se parle plus. On se mêle plus. En français, on monte une pièce de théâtre qui s'appelle « Chus pas raciste, mais… ». Ça ne va pas changer le monde. Ça va peut-être juste nous aider à comprendre un peu plus le monde dans lequel on vit, les gens avec lesquels on vit. C'est quand même mieux que de se taper sur la figure.

Montréal, en terre lointaine
le 15 mai 1990

Tu es teigneux, mon vieux Béchir, comme il n'est pas permis.

Mais, enfin, toute patience trouve sa récompense. Est-ce que ça existe, comme proverbe? Sinon, j'en revendique la paternité.

Vingt et une choses, dis-tu. Eh bien, voici (sans ordre précis) :

1. *le printemps (à cause de l'hiver, que j'abhorre, exècre, abomine, etc.)*
2. *le mont Royal*
3. *la tarte au sucre*
4. *le rire de certaines filles (pas toutes!)*
5. *la paix*
6. *un gars qui s'appelle Simon et qui est en train de devenir un bon copain (ne t'inquiète pas, il ne t'a pas complètement délogé... même s'il est nettement moins teigneux que toi)*

7. le soccer (c'est comme ça qu'on appelle le foot, ici)

8. les piscines

9. les jambes de certaines filles (pas toutes!)

10. les samedis matins à flâner au lit avec un livre

11. la rue Sainte-Catherine et les immeubles du centre-ville

12. les salles de cinéma

13. les cours de biologie (au fait, dans ta dernière lettre, à part m'engueuler parce que je ne t'avais toujours pas fait parvenir ma liste de vingt et une choses que j'aime ici, tu m'as rappelé ton intention de devenir ingénieur pour pouvoir retourner au Liban et rebâtir un pays plutôt amoché ; continue à me tenir au courant de tes projets ; on pourra se retrouver là-bas, dans quelques années, quand tu seras ingénieur et moi médecin ; je réfléchis beaucoup à cela, depuis quelque temps, et j'ai l'impression que j'aimerais beaucoup rafistoler les corps amochés ; les âmes aussi, peut-être ; enfin, on verra)

14. la rue Saint-Laurent

15. les tempêtes de neige (et ne t'avise pas de prétendre que je me contredis)

16. les pistes cyclables

17. la liberté de bouger, de circuler, de s'agiter ou de ne rien faire
18. la paix (bis, ter et plus encore)
19. les cheveux de certaines filles (pas toutes!)
20. le bruit paisible des voitures dans la nuit
21. (censuré)

Alors, satisfait?

Je tiens toutefois à préciser que je déteste et que je détesterai toujours le hockey, le beurre d'arachide, les téléromans et les cours d'anglais.

Karim

Tu as aimé *La Route de Chlifa*?
Tu aimeras aussi les autres romans
de Michèle Marineau...

Les vélos n'ont pas d'états d'âme

(collection Titan)

Sous ses airs de petite princesse, Laure semble cacher quelque chose. Quelque chose qui intrigue beaucoup Jérémie... Alors que son intérêt grandit pour cette nouvelle élève, Tanya, sa meilleure amie, s'éloigne subitement de lui, préférant «prendre ses distances», comme elle dit. Décidément, Jérémie commence à les trouver pas mal difficiles à suivre, celles-là. Heureusement que les vélos sont moins compliqués que les filles!

• Mention spéciale du jury – Prix Alvine-Bélisle 1999

Rouge poison

(collection Titan)

Depuis six semaines, trois enfants du Plateau Mont-Royal ont succombé à des hémorragies causées par une surdose d'anticoagulants. S'agit-il d'accidents? De simples coïncidences? Personne n'y croit. On parle plutôt d'empoisonnements, d'assassinats, et même de meurtres en série… Sabine, Xavier et Jérôme mèneront une enquête semée d'embûches et de dangers. Arriveront-ils à coincer l'assassin avant que celui-ci ne les coince?

- Prix du livre M. Christie 2001

  Près de 60 000 exemplaires vendus!

Cassiopée

(collection QA Compact)

Cassiopée, quinze ans, décide de partir pour New York. Toute seule. Sans en parler à personne et sans se douter qu'elle s'en va ainsi vers une histoire de mer et d'amour. Vers son été polonais… De retour à Montréal, elle se mettra à attendre. Attendre Marek, attendre les lettres de Marek, attendre l'été pour revoir Marek. Comment vivra-t-elle les longs mois sans lui ? Comment se passe-ront les retrouvailles tant attendues ?

- Livre préféré des jeunes de 12-17 ans au palmarès Communication-Jeunesse 2003-2004

  Près de 50 000 exemplaires vendus !

MICHÈLE MARINEAU

POLICIER

LA TROISIÈME LETTRE

Québec Amérique

La Troisième Lettre

(collection QA Compact)

Agathe O'Reilly reçoit des lettres troublantes, vaguement inquiétantes, qui sont peut-être des lettres de
menaces. Mais elle ne s'en fait pas trop... jusqu'à ce
qu'elle réalise qu'un intrus s'est introduit chez elle. À
partir de là, rien ne va plus. Et le doute s'installe. Qui
lui envoie ces lettres, et pourquoi ? Les réponses à ces
questions se trouvent-elles dans la vie actuelle de la
comédienne de vingt-sept ans, ou dans le drame qui
a marqué son enfance ?

De la même auteure

Jeunesse
La Route de Chlifa, Pocket Jeunesse, 2009.
Marion et le royaume d'Einomrah, Dominique et compagnie, 2009.
Marion et le Nouveau Monde, Dominique et compagnie, 2002.
  • **Prix Québec / Wallonie-Bruxelles 2003**

Albums
Cendrillon, Les 400 coups, 2000.
L'Affreux, Les 400 coups, 2000.

Photo: © Martine Doyon

MICHÈLE MARINEAU

Michèle Marineau sait comme nulle autre allier finesse de l'écriture, profondeur d'émotion et intrigue fouillée dans une œuvre dont la qualité a été maintes fois soulignée. Elle a remporté à deux reprises le Prix du Gouverneur général, d'abord en 1988 avec son premier roman, *Cassiopée – L'Été polonais*, puis en 1993 avec *La Route de Chlifa*, qui lui a valu la même année le prix 12/17 Brive/Montréal et le prix Alvine-Bélisle. En 2001, elle a également obtenu le Prix du livre M. Christie pour *Rouge poison*, un roman policier destiné aux adolescents.

Fiches d'exploitation pédagogique

Vous pouvez vous les procurer sur notre site Internet à la section jeunesse/matériel pédagogique.

quebec-amerique.com

MARQUIS

Québec, Canada